pour **Marwanne et Sophie**

pour **Lise**

pour **Julien et Nicolas**

pour **Marie**

pour **Julie**

pour **Louise**

pour **Théo et Andréas**

pour **Térence et Julie**

pour **Sarah**

pour **Pierre**

pour **Charles et Hugo**

pour **Émilien**

pour **Thibault**

pour **Alice**

pour **Étienne et Édouard**

pour **Sébastien**

pour **Antoine et Angèle**

pour **Aude**

pour **Alexandre**

pour **Victor**

pour **Nassera**

pour **Mehdi**

pour **Loïc**

pour **Mathilde et Julia**

pour **Mathieu**

pour **Marin**

pour **Maxime**

pour **Charlotte**

pour **Agnès et Jean**

pour **Lucie**

pour **Cédric et Carole**

pour **Clara**

Dictionnaire des Maternelles

LAROUSSE
DICTIONNAIRES

21, rue du Montparnasse 75283 Paris cedex 06

POUR LA PRÉSENTE ÉDITION :

Direction de la publication :	Carine Girac-Marinier
Direction éditoriale :	Jacques Florent
Rédaction :	Patricia Maire, *avec la collaboration de* Valérie Frogé, *professeur des écoles* Anne Luthaud *pour les comptines*
Lecture-correction :	Chantal Pagès ; Françoise Mousnier, Isabelle Trévinal
Informatique éditoriale :	Dalila Abdelkader, Marion Pépin
Direction artistique :	Uli Meindl
Maquette :	Facompo
Responsable des dessins :	Sylvie Sénéchal
Dessins :	Annie-Claude Martin, Danièle Schulthess
Couverture :	Uli Meindl
Fabrication :	Marlène Delbeken

POUR LA PREMIÈRE ÉDITION :

Direction éditoriale :	Micheline Sommant
Responsable éditoriale :	Catherine Boulègue
Rédaction :	Patricia Maire ; Nicole Rein-Nikolaev, *avec la collaboration de* Vonny Dufossé, *conseillère pédagogique*
Lecture-correction :	Annick Valade ; Chantal Pagès, Françoise Mousnier
Conception graphique et maquette :	Geneviève Chaudoye
Mise en page des planches :	Frédérique Buisson
Documentation iconographique :	Marie Vorobieff
Responsable des dessins :	Jacqueline Pajouès
Dessins :	Danièle Schulthess ; Isabelle Arslanian, Chantal Beaumont, Laurent Blondel, Annette Boisnard, Frank Bouttevin, Bénédicte Carraz, Catherine Claveau, Marie-Marthe Collin, Gismonde Curiace, Pierre-Emmanuel Dequest, Jérôme Eho, Cathy Gaspoz, Noëlle Le Guillouzic, Jean-Luc Maniouloux, Annie-Claude Martin, Frankie Merlier, Agnès Perruchon, Christine Ponchon, François Poulain, Marc Pouyet, Philippe Rasera ; Archives Larousse et Paul Bontemps, Vincent Boulanger, Jacques Cartier, Frédérique Collinet, Fabrice Dadoun, Bruno David, Christian Godard, Jean-Louis Henriot, Brenda Katté, Yves Larvor, Marc Legrand, Gilbert Macé, Emmanuel Mercier, Florence Meunier, Patrick Morin, Behzad Nahed, Jocelyne Ortega, Jean-Marc Pariselle, Claude Poppé, Bernard Rocamora, Alain Rolland, Dominique Roussel, Dominique Sablons, Michel Saemann, Tom Sam You, Léonie Schlosser, Jean-Claude Sénée, Masako Taëron, Patrick Taëron, Amélie Veaux, Denise Weber

Fotolia.com © Steve Young (picto abeille)

ISBN : 978-2-03-586588-5

Sommaire

Un dictionnaire pour les petits pages 4-5

Petit guide à l'usage des parents pages 6-8

Les lettres et les sons pages 9 à 38

Dictionnaire de A à Z pages 39 à 287

Planches d'illustrations pages 288 à 319

Les dinosaures .... pages 288-289

Les animaux de la mer .... pages 290-291

Les animaux des pays froids .... pages 292-293

Les animaux des pays chauds .... pages 294-295

Les oiseaux .... page 296

Les insectes .... page 297

Les arbres .... pages 298-299

Les fleurs .... pages 300-301

Les fruits .... page 302

Les légumes .... page 303

Le corps .... page 304

Les vêtements .... page 305

Le calendrier .... page 306

La journée .... page 307

La maison et le jardin .... pages 308-309

L'école .... pages 310-311

La ville .... pages 312-313

La campagne et la ferme .... pages 314-315

La forêt .... pages 316-317

La montagne .... page 318

La mer .... page 319

de A à Z

Un dictionnaire pour les petits

Livre « de grands » pour les petits, le *Larousse des maternelles* est un outil ludique permettant d'initier les enfants aux codes et au fonctionnement d'un dictionnaire.

Chaque mot est clairement défini dans un langage simple. La définition est suivie d'un exemple qui met le mot en situation dans un contexte familier à l'enfant. L'image illustre au plus près le sens du mot expliqué.

• Les **pages de lettrines**, ouvrant chaque lettre de l'alphabet, donnent les différentes graphies de la lettre (majuscule et minuscule, scripte ou cursive).

• L'**alphabet**, présent sur chaque page sous forme de bandeau vertical, permet de repérer rapidement la lettre traitée : elle est placée sur un onglet coloré.

• Le **mot défini**, écrit en gros caractère rose foncé, avec l'initiale en bleu, est précédé de l'article pour préciser son genre, féminin ou masculin.

• Les **exemples** sont écrits dans un caractère différent : en italique (lettres penchées) et en bleu afin de mieux les différencier de la définition stricte.

• Les **synonymes** et les **contraires** sont repérés par un code : le signe ☼ pour les premiers, le signe ⊞ pour les seconds. Pour faciliter la compréhension orale de l'enfant, ils sont introduits par une formule simple : « On dit aussi … », pour les synonymes, ou bien « Le contraire de …, c'est … », pour les contraires.

• Les **mots de la même famille**, placés sur un fond bleu, sont introduits dans une phrase courte.

• Les **renvois** vers les planches encyclopédiques et thématiques sont écrits en lettres vertes, à la suite du signe 👁, afin que l'enfant puisse les repérer aisément.

• Enfin, des **expressions** appartenant au langage courant, comme un « froid de canard », une « faim de loup » ou la « chair de poule », des comptines ou quelques lignes d'une chanson donnent un emploi plus imagé des mots et ajoutent une tonalité ludique à leur utilisation.

Au bord de la page,
il y a une colonne
avec l'alphabet.

Quand il y a des numéros,
c'est que le mot
a des sens différents.

La lettre blanche
sur l'onglet veut dire
que tous les mots
de la page commencent
par cette lettre.

Sur le fond bleu,
on trouve des mots
de la même famille
que le mot expliqué.

Derrière le signe ☼,
on trouve un mot
qui veut dire
la même chose
que le mot expliqué.

Derrière le signe ▢,
on trouve
le contraire
du mot expliqué.

Le mot expliqué
est écrit
en grosses lettres.

Cette phrase,
écrite en vert, indique
qu'il y a une planche
d'images à aller voir.

L'image
met le mot
en scène.

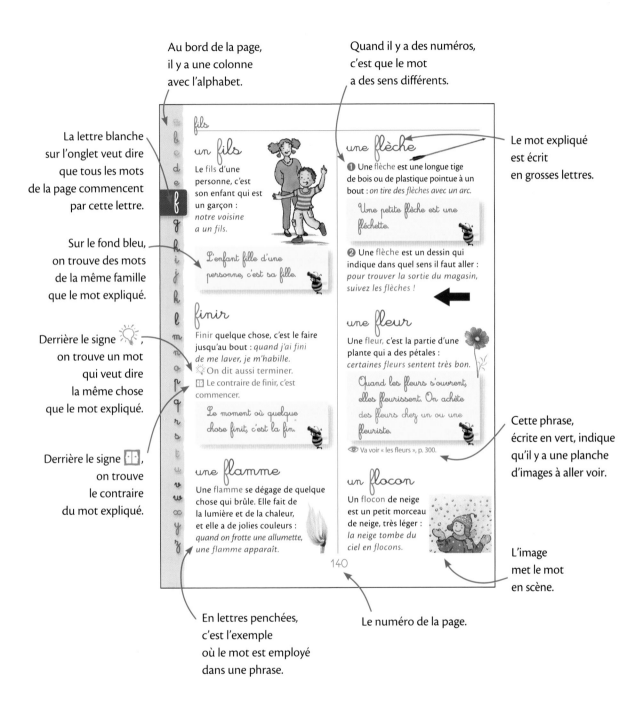

fils

un fils

Le fils d'une
personne, c'est
son enfant qui est
un garçon :
*notre voisine
a un fils.*

*L'enfant fille d'une
personne, c'est sa fille.*

finir

Finir quelque chose, c'est le faire
jusqu'au bout : *quand j'ai fini
de me laver, je m'habille.*
☼ On dit aussi terminer.
▢ Le contraire de finir, c'est
commencer.

*Le moment où quelque
chose finit, c'est la fin.*

une flamme

Une flamme se dégage de quelque
chose qui brûle. Elle fait de
la lumière et de la chaleur,
et elle a de jolies couleurs :
*quand on frotte une allumette,
une flamme apparaît.*

une flèche

❶ Une flèche est une longue tige
de bois ou de plastique pointue à un
bout : *on tire des flèches avec un arc.*

*Une petite flèche est une
fléchette.*

❷ Une flèche est un dessin qui
indique dans quel sens il faut aller :
*pour trouver la sortie du magasin,
suivez les flèches !*

une fleur

Une fleur, c'est la partie d'une
plante qui a des pétales :
certaines fleurs sentent très bon.

*Quand les fleurs s'ouvrent,
elles fleurissent. On achète
des fleurs chez un ou une
fleuriste.*

👁 Va voir « les fleurs », p. 300.

un flocon

Un flocon de neige
est un petit morceau
de neige, très léger :
*la neige tombe du
ciel en flocons.*

140

En lettres penchées,
c'est l'exemple
où le mot est employé
dans une phrase.

Le numéro de la page.

Petit guide à l'usage des parents

Premier dictionnaire pédagogique d'apprentissage de la langue, le *Larousse des maternelles* est destiné aux enfants qui ne savent pas encore lire ou qui commencent à lire. Le texte peut être lu à haute voix par un adulte. Les illustrations permettent à l'enfant d'identifier le mot à l'image, et ainsi de le nommer, ou de découvrir des mots plus difficiles, qu'il entend ou utilise, mais dont il ne connaît pas bien la signification.

C'est un vrai dictionnaire et, pour les « apprentis parleurs et lecteurs » et leurs parents, un livre d'échanges et de partage, un trésor de mots et d'images qui favorise des dialogues vivants et renouvelés.

Pour accompagner l'enfant dans la découverte du dictionnaire, nous vous proposons quelques pistes d'activités qui seront l'occasion pour lui d'apprendre le nom des lettres, d'identifier les principaux sons et les façons de les écrire, d'enrichir son vocabulaire et ses connaissances, de se familiariser avec l'utilisation du dictionnaire.

Se familiariser avec le dictionnaire

Ce dictionnaire peut se découvrir comme un album : le texte et l'image, intimement liés, se reflètent et se complètent.

Laissez l'enfant feuilleter les pages. Il s'arrêtera spontanément sur certaines images. Incitez-le à les commenter, puis montrez-lui qu'à chaque image correspond un texte qui explique le sens du mot. Lisez-lui la définition.

Cette première rencontre sera l'occasion :

• de différencier le dictionnaire d'autres ouvrages qu'il connaît déjà : imagiers, livres de contes, histoires…

• de l'initier à la fonction du dictionnaire : un outil qui permet d'expliquer ce que veulent dire les mots et de savoir comment ils s'écrivent,

• de lui montrer que les mots sont rangés par ordre alphabétique. Invitez-le à découvrir les pages d'ouverture de chaque lettre et aidez-le à se repérer dans l'alphabet présent sur le côté de chaque page.

Enrichir son vocabulaire et ses connaissances

Les enfants s'interrogent souvent sur le sens des mots. Ce dictionnaire en donne une explication simple et adaptée à leur âge.

Encouragez l'enfant à aller chercher un mot dans le dictionnaire dès que l'occasion se présente.

Cette recherche pourra le conduire vers d'autres découvertes, telles que celles des planches thématiques et encyclopédiques. Consacrées à la nature ou à des thèmes de la vie quotidienne, elles suscitent la curiosité de l'enfant, développent son sens de l'observation et, avec votre aide, lui permettent d'enrichir son vocabulaire.

Associer les lettres et les sons

Pour aider l'enfant à comprendre ce qu'est un mot, il faut lui montrer comment il est composé. Vous trouverez en fin d'ouvrage des cartes-lettres détachables qui l'aideront à mémoriser les lettres et les sons.

Cartes en main, demandez à l'enfant de nommer les lettres et encouragez-le à les classer par ordre alphabétique de manière très progressive. Vous pourrez aussi composer avec lui des mots très simples ou qui lui sont familiers.

Les sons simples sont présentés dans la partie « Les lettres et les sons » (pages 9 à 38). La lecture de ces pages avec l'enfant vous permettra :

• de lui montrer qu'un même son peut se retrouver dans des mots différents et qu'il peut parfois s'écrire de façon différente (le son [o] dans **ro**b**o**t, dans ch**au**ssure, dans cad**eau**…),

• de l'aider à différencier les sons proches, tels que [m] et [n], [p] et [b], [f] et [v], etc.

Attention : quand vous épelez les mots, veillez à bien dissocier le nom de la lettre du son que fait la lettre. Il est important de préciser, par exemple, que la lettre **B** fait le son [b], la lettre **M** le son [m], etc.

Jouer avec les mots

Voici quelques pistes d'activités ludiques. La plupart sont regroupées dans les pages consacrées aux lettres et aux sons (pages 9 à 38) sous la rubrique « **Joue avec les mots** », mais vous pourrez aussi les utiliser avec votre enfant au fil de sa découverte du dictionnaire.

• **Reconnaître une lettre ou un son.** Demandez à l'enfant de retrouver une lettre choisie, ou de dire s'il entend un son dans les mots d'une liste.

• **Découper en syllabes.** Scandez les syllabes d'un mot en tapant dans vos mains.

• **Jouer avec les cartes-lettres de l'alphabet.** Plusieurs possibilités s'offrent : demandez à l'enfant de reconstituer des séquences de l'alphabet, d'écrire des mots simples, ou encore de rechercher dans les pages du dictionnaire des mots commençant par une lettre choisie (dans ce cas, le mieux est de déterminer des catégories de mots, comme des noms d'animaux, de fruits, etc.).

• **Retrouver un mot.** Lisez une phrase et faites-lui retrouver sur la page le ou les mots qu'il entend.

• **Devinettes.** Posez-lui des questions sur les animaux, la nature, le corps humain, etc. C'est une façon amusante d'enrichir son vocabulaire.

• **De l'image au mot.** Demandez-lui de nommer les objets et les actions représentées dans les illustrations. S'il le souhaite, cherchez avec lui certains des mots dans le dictionnaire. Faites-lui observer les planches thématiques situées en fin de volume. Incitez-le à les commenter.

• **De la définition au mot.** Lisez la définition d'un mot et demandez-lui de deviner l'objet ou l'action qui est défini.

• **Jouer aux familles de mots.** Faites-lui regrouper les mots d'une même famille, en jouant sur les consonances comme dans *canard, cane* ou *bercer, berceau, berceuse…*

• **Associer les mots.** Après avoir commenté une image avec l'enfant et « découvert » le mot qu'elle illustre (par exemple, *dessus* ; *grand* ; *monter…*) demandez-lui s'il connaît un mot pour dire le contraire. De la même façon, cherchez avec lui un synonyme, puis allez voir ensemble le mot trouvé dans le dictionnaire.

a i u o e é
oi è
in b
an p
on d
ou t
ch m
k n
g r
j z s v f l

Les lettres et les sons

A	comme	Alexandre, Amandine, Amélie, Anouck, Arthur, Aziz
B	comme	Baptiste, Basile, Benjamin, Bilal
C	comme	Camille, Cédric, Chad, Chloé, Clara, Clément
D	comme	Damien, Daphné, David, Diane, Donia, Dorian
E	comme	Élodie, Elias, Emma, Enzo, Ethan, Eva
F	comme	Fabio, Fanny, Faustine, Florian
G	comme	Gabriel, Gaëlle, Géraldine, Guillaume, Grégoire
H	comme	Hassan, Héloïse, Hugo
I	comme	Igor, Ilan, Inès, Iris, Isabelle
J	comme	Jade, Jeanne, Jérôme, Julie, Justin
K	comme	Kadidja, Karim, Kenneth, Kenza, Kévin, Killian
L	comme	Léa, Leïla, Lilian, Lola, Louis, Lucas, Luna
M	comme	Maéva, Manon, Marin, Mathis, Maxime, Morgane
N	comme	Nadia, Nathan, Nawel, Nicolas, Nina, Noé, Noémie
O	comme	Océane, Olivier, Ophélie, Oscar
P	comme	Paul, Pauline, Perle, Perrine, Pierre
Q	comme	Quentin
R	comme	Rachel, Raphaël, Rebecca, Robin, Romain
S	comme	Samuel, Sarah, Simon, Sofiane, Solène, Sylvain
T	comme	Tamara, Théo, Thibaut, Thomas
U	comme	Ugo, Ulysse, Uma, Ursula
V	comme	Valentine, Victoire, Vincent, Vivien
W	comme	Warda, Wendie, William
X	comme	Xavérine, Xavier
Y	comme	Yann, Yasmine, Youri, Ysée, Yvain
Z	comme	Zaccharie, Zélie, Zoé

*Dardar le canard en a marre...
Rata le rat et Pacha le chat
se moquent de ses pieds plats
et raplapla !*

a comme dans...

abricot   ananas   canard   abeille

â comme dans...

âne   gâteau

Joue avec les mots

Devinettes

• Comment s'appelle le petit de l'âne ? *Va voir* **âne** *page 47.*

• Quel est l'animal qui a huit pattes et dont le nom commence par **A** ?
  Cherche la réponse page 50.

Retrouver un mot

• Retrouve dans cette phrase un mot qui est illustré dans la page :
  L'abeille se pose sur la fleur.

le son i

Hi hi hi, dit le hibou,
j'aime bien les quilis,
j'aime bien les amis,
mais je préfère mon lit !
Youpi ! je préfère mon lit !

i comme dans...

igloo

hibou

papillon

fourmi

î comme dans...

y comme dans...

île

pyjama

Joue avec les mots

Reconnaître une lettre

• Montre la lettre **i** dans chaque jour de la semaine.

lundi   mardi   mercredi   jeudi   vendredi   samedi   dimanche

Reconnaître un son

• Pour chaque jour de la semaine, dis si tu entends le son **i** au début
  ou à la fin du mot.

• Quel est le jour qui n'est pas comme les autres ?

*Lulu la tortue
a vraiment trop bu,
elle a vu une grue
et lui a sauté dessus !
Hue, hue !*

u comme dans...

t**u**lipe   n**u**age   l**u**ne   tort**u**e

û comme dans...

b**û**che   fl**û**te

Joue avec les mots

Jouer avec l'alphabet

• Cherche dans tes cartes les lettres qui te permettent d'écrire le mot **nuage**.

De la définition au mot

• C'est une sorte de petit traîneau qui permet de glisser sur la neige.

C'est la ... ? *Cherche la réponse page 178.*

le son O

Oh, oh, oh, dit Lolo l'otarie,
il est trop tôt,
il fait pas beau,
je plonge dans l'eau,
dodo !

o comme dans…

orange   otarie   vélo

ô comme dans…

fantôme

au comme dans…

eau comme dans…

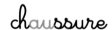 

chaussure   autruche   cadeau   chapeau

Joue avec les mots

Reconnaître un son

• Dans les mots suivants, dis si tu entends le son **o** au début, au milieu ou à la fin du mot :

orange   chapeau   otarie   fantôme   autruche   cadeau

Découper en syllabes

• Tape dans tes mains pour découper les mots en syllabes.

o-ta-rie   ca-deau   vé-lo   cha-peau

Je suis heureux, dit le renard,
le ciel est bleu, je fais c'que j'veux
y'a rien de mieux !

e comme dans...

cheval

requin

cheminée

renard

eu comme dans...

melon

fenêtre

feu

Joue avec les mots

Devinettes

- De quelle couleur est la fourrure du renard ? *Va voir* **renard** *page 238.*
- Comment s'appelle le petit du cheval ? *Va voir* **cheval** *page 87.*

Jouer avec l'alphabet

- Prends tes cartes-lettres de **A** à **E** et range-les dans le bon ordre.
  Vérifie avec l'alphabet page 10.

le son É

Dédé l'éléphant a un si long nez
qu'il ne peut se moucher
ni regarder la télé !
Né, né !

é comme dans...

éléphant   étoile   dé   fée

ez comme dans...   ed comme dans...   er comme dans...

nez   pied   panier

Joue avec les mots

Devinettes

• Quels sont les noms des arbres sur lesquels poussent ces fruits ?
Va voir la planche « les fruits » page 302.

• L'arbre où poussent les cerises, c'est le ... ?

• L'arbre où poussent les poires, c'est le ... ?

• L'arbre où poussent les figues, c'est le ... ?

• Et la banane ? C'est le fruit du ... ?

 **le son è**

Je me trouve bien laid !
dit Zèpe le zèbre,
avec toutes mes raies,
on dirait une guêpe !
Berk, berk !

è comme dans…   **ê** comme dans…

zèbre   sorcière   guêpe   pêche

ai comme dans…   **ei** comme dans…   **et** comme dans…

chaise   peigne   bonnet

Joue avec les mots

De la définition au mot

• Ce n'est pas un poisson, mais elle vit dans la mer. Quand elle respire,
elle lance un petit jet d'eau. C'est la … ?
Cherche la réponse page 59.

Devinette

• De quelle couleur est le pelage du zèbre ?
*Va voir **zèbre** page 287.*

La barbe, dit Baba le crabe,
j'ai beau braver les flots,
j'ai beau baver dans l'eau,
c'est Babar le plus beau,
bouh bouh !

b comme dans...

banane

bec

bougie

bateau

bouton

crabe

biberon

abricot

Joue avec les mots

Jouer avec l'alphabet

• Prends la lettre **B** dans tes cartes-lettres, puis cherche dans ton dictionnaire trois noms d'animaux qui commencent par **B**.

De l'image au mot

• Va à la page d'ouverture de la lettre **B** et donne le nom des objets que tu vois.

le son **p**

*Padame l'hippopotame
passe à Pampelune, passe à Paris
et dit : pas de poisson par ici !
Tant pis !*

p comme dans...

panier   plume   parapluie   panda

pp comme dans...

grappe   hippopotame

Joue avec les mots

Reconnaître un son

• Tape dans tes mains si tu entends le son **p**.

banane   perroquet   bateau   parfum   printemps   pépin

Devinette

• Devine si ces animaux sont à poils ou à plumes :

le perroquet   le panda   la poule   le diplodocus   la pie

19

le son d

Pépère le dromadaire se désespère !
Dors ! dors ! lui dit Didon le dinosaure,
car qui dort dîne et qui dîne dort !
Ding dong !

d comme dans...

dinosaure   dindon   drapeau   dauphin

dé   doigt   disque   dromadaire

Joue avec les mots

Devinettes

• Comment s'appellent les doigts des pieds ? *Va voir **doigt** page 114.*

• Je ressemble au chameau, mais je n'ai qu'une seule bosse sur le dos.
  Qui suis-je ? *Cherche la réponse page 116.*

De l'image au mot

• Cherche le mot **dinosaure** et va voir la planche « les dinosaures » page 288.
  Tu en découvriras beaucoup d'autres.

Si tu tonds Titan mon mouton,
tu trouveras une toison,
belle comme un tourbillon,
tontaine et tonton !

t comme dans...

tambour   tomate   toupie   mouton

tt comme dans...

botte   carotte

Joue avec les mots

Jouer avec l'alphabet

• Prends la lettre **T** dans tes cartes-lettres, puis cherche dans ton dictionnaire deux noms d'animaux qui commencent par **T**.

Reconnaître un son

• Tape dans tes mains quand tu entends le son **t**.

tigre   tulipe   dent   tente   drapeau   chapeau
taureau   timbre   dé

Momo le chameau dit à la mouche :
si tu m'aimes, je t'aime
et si je t'aime, aime-moi !
Miam miam !

m comme dans...

moto

marron

marionnette

montre

mm comme dans...

fourmi

chameau

pomme

Joue avec les mots

Retrouver un mot

• Retrouve dans cette phrase un mot qui est illustré dans la page :
La montre indique l'heure.

De l'image au mot

• Observe la planche « les légumes » page 303 et cite les noms de ceux que tu connais.

J'suis pas une nouille,
dit la grenouille,
un nénuphar qui nage,
ça n'existe pas !
C'est n'importe quoi !

n comme dans...

n**uage**

n**iche**

n**oisette**

n**id**

nn comme dans...

gre**n**ouille

cocci**n**elle

bo**nn**et

J o u e   a v e c   l e s   m o t s

Devinette

• Quel est l'animal qui fait des réserves de noisettes pour l'hiver ?
Va voir **noisette** *page 196.*

Retrouver un mot

• Tape dans tes mains si tu entends le son **n**.
noyau   **manteau**   **noix**   **masque**   **médecin**

Riri le rhinocéros crie au colibri :
si j'étais pas si gros,
si j'étais pas si gris,
tu serais mon ami !
Oui, oui !

r comme dans...

roi   reine   rose   pirate

rr comme dans...

raisin   rhinocéros   arrosoir

Joue avec les mots

De la définition au mot

• C'est une fleur qui a de belles couleurs et des épines.
  C'est la... ? *Cherche la réponse page 243.*

De l'image au mot

• Observe la planche « la forêt » page 316 et donne le nom des animaux que tu reconnais.

*Rafal le cheval a vraiment du mal
à lire sans lunettes
la très jolie lettre de son amie Lorette,
bla, bla, bla !*

l comme dans...

lait   lapin   lutin   cheval

ll comme dans...

ballon   poubelle

Joue avec les mots

Jouer avec l'alphabet

• Prends tes cartes-lettres de **A** à **L** et range-les dans le bon ordre.
  Vérifie avec l'alphabet page 10.

• Écris le mot **lapin** avec tes cartes-lettres.

De la définition au mot

• C'est un animal sauvage qui vit dans les forêts. Il a un museau pointu
  et il ressemble à un grand chien. C'est le ... ? *Cherche la réponse page 177.*

le son **f**

*Fafa la girafe fait la fofolle,
elle fait des farces,
fait des grimaces,
se frotte les fesses !
Pouf pouf !*

f comme dans...

fée   feuille   fraise   girafe

ph comme dans...

éléphant   phare

J o u e   a v e c   l e s   m o t s

De l'image au mot

• Observe la planche « la campagne et la ferme » page 314 et raconte ce que tu vois.

Reconnaître un son

• Tape dans tes mains si tu entends le son **f**.

fusée   fantôme   valise   feuille   infirmière   vent   œuf

Vava la vache a vu trois veaux venir vers elle sur un vélo. Quel drôle de rêve ! Vroum, vroum !

V comme dans...

vache

violon

voiture

vélo

valise

a**v**ion

li**v**re

cre**v**ette

Joue avec les mots

De la définition au mot

• C'est un bagage rectangulaire avec un couvercle. On la tient par une poignée. Elle sert à mettre les vêtements qu'on emporte en voyage.

C'est la … ? *Cherche la réponse page 277.*

Devinette

• Ma maman est la vache, et mon nom commence aussi par la lettre **V**.

Qui suis-je ? *Va voir* **vache** *page 277.*

le son **S**

Sissi la souris est sans souci,
Sonson le hérisson est sans passion
mais Sissi et Sonson
aiment tous deux le saucisson !
Si, si !

S comme dans…

souris   soleil

ss comme dans…

assiette   hérisson

c comme dans…

citron   glace

ç comme dans…

garçon

Joue avec les mots

Découper en syllabes

• Tape dans tes mains pour découper les mots en syllabes.

  ci-tron   **gar-çon**   **sou-ris**   **hé-ri-sson**

De l'image au mot

• Regarde la page d'ouverture de la lettre **S** et nomme les mots et les actions.

Zadig le lézard zézaie et zozote
et zigzague au hasard !
Z'ai perdu le zoo !
Zut, zut !

S comme dans...

rose

maison

fraise

fusée

Z comme dans...

zèbre

lézard

Joue avec les mots

Jouer avec l'alphabet

• Prends tes cartes-lettres de **A** à **Z** ! Range-les dans le bon ordre en donnant le nom de chaque lettre.

Vérifie avec l'alphabet page 10.

Retrouver un mot

• Retrouve dans cette phrase un mot qui est illustré dans la page :

Le zèbre s'ennuie au zoo.

*Jamais Juju le singe
ne gifla Justine la jument,
qui n'a pas de joues justement !
Gentil, gentil !*

j comme dans...

jouet   jupe   jumelles   pyjama

g comme dans...

girafe   nuage   bougie   singe

Joue avec les mots

Devinettes

• Comment s'appelle l'artiste de cirque qui jongle avec des objets ?
Cherche la réponse page 167.

• Comment s'appelle le petit de la girafe ? *Va voir **girafe** page 148.*

Retrouver un mot

• Retrouve dans cette phrase un mot qui est illustré dans la page :
Il y a de gros nuages dans le ciel.

*Gare à toi Edgar !
Grosguy le dragon grognon
veut goûter ta glace !
Grr, grr !*

g comme dans...

gâteau

goutte

grimace

guitare

guirlande

gant

dragon

escargot

Joue avec les mots

Devinette

• Je sers à effacer les traits de crayon. Qui suis-je ? *Cherche la réponse page 149.*

Retrouver un mot

• Retrouve dans cette comptine un mot qui est illustré dans la page :

*Goutte, gouttelette de pluie
Mon chapeau se mouille
Goutte, gouttelette de pluie
Mes souliers aussi...*

le son **k**

Cocorico, dit le crapaud !
Croa, croa, dit le coq !
mais qu'est-ce que j'entends là ?
dit le koala.
C'est quoi tout ça ?

c comme dans...

crapaud   cage   escargot   crocodile

q comme dans...   **k** comme dans...

coq   quille   koala   kangourou

Joue avec les mots

Devinettes

• Mon nom commence par un **K**. Je suis un fruit, mais aussi un oiseau ...
Qui suis-je ? *Cherche la réponse page 170.*

• Quel est le point commun entre le bébé koala et le bébé kangourou ?
Va voir **koala** *et* **kangourou** *page 170.*

Découper en syllabes

• Tape dans tes mains pour découper les mots en syllabes.
ko-a-la   coq   kan-gou-rou   cra-paud   cro-co-di-le

*Chichi la chenille
chuchote et chuinte,
elle va se changer
en papillon chamarré...
Chut, chut !*

ch comme dans...

chenille

chaise

chameau

château

champignon

cochon

fourchette

artichaut

Joue avec les mots

Devinettes

• Comment s'appelle la femelle du chien ? Et le petit du chien ?
  Va voir **chien** *page 87.*

• Par où passe le père Noël pour apporter les cadeaux ?
  Cherche la réponse page 86.

Retrouver un mot

• C'est un animal de la ferme. Il est rose et a la queue en tire-bouchon.
  C'est le ... ? *Cherche la réponse page 90.*

le son **ou**

*Boubou le hibou boit des coups,
plante des choux,
mange des clous,
il est fou ce hibou !
Hou, hou !*

ou comme dans…

hibou

loup

ours

poupée

toupie

kangourou

poule

souris

Joue avec les mots

Devinette

• Sais-tu combien de temps le bébé kangourou reste dans la poche de sa maman ? *Va voir* **kangourou** *page 170.*

Reconnaître un son

• Combien de fois entends-tu le son **ou** dans **kangourou** ?

le son **on**

Flonflon le papillon fait des ronds,
mange des bonbons,
suce des glaçons,
c'est un garçon !
Bon, bon !

on comme dans...

mout**on**   li**on**   p**on**t   papill**on**

om comme dans...

p**om**pier   tr**om**pette

Joue avec les mots

Reconnaître un son

• Tape dans tes mains si tu entends le son **on**.

pont   montre   nombre   moulin   montagne   poule

De l'image au mot

• Observe la planche « la montagne » page 318 et raconte ce que tu vois.

 **le son an**

Samson le serpent sifflant
aime passer son temps
à ramper dans les champs
en écoutant le vent,
vlan, vlan !

an comme dans...

am comme dans...

orange   fantôme   éléphant   lampe

en comme dans...   **em** comme dans...

tente   serpent   embrasser

Joue avec les mots

Devinette

• Il faut les brosser après chaque repas. Le peigne et la fourchette en ont aussi.
  Qu'est-ce que c'est ?
  Cherche la réponse page 109.

Cherche la réponse page 109.

Retrouver un mot

• Retrouve dans cette phrase un mot qui est illustré dans la page :
  Le fantôme fait peur aux enfants.

 **e son in**

*Kinkin le lapin
mange du thym,
c'est bon pour le teint,
c'est bon pour les reins !
Perlimpinpin !*

in comme dans…

singe　　　lapin　　　requin　　　lutin

ain comme dans…　　　**ein** comme dans…

pain　　　train　　　　　　peinture

Joue avec les mots

Jouer avec l'alphabet

• Avec tes cartes-lettres, écris les mots :

pain, main, train.

De l'image au mot

• Regarde la planche « les insectes » page 297 et dis les noms de ceux que tu connais.

le son **oi**

Si c'est pas toi, c'est moi ;
si c'est moi, c'est pas toi,
dit la mère l'Oie,
et on la croit,
ma foi !

oi comme dans...

roi

oie

doigt

voiture

noix

poire

étoile

framboise

Joue avec les mots

Devinettes

• Que porte un roi sur la tête ? *Va voir* **roi** *page 243.*

• Comment s'appelle la personne qui vend du poisson ? Et comment s'appelle le lieu où travaille cette personne ? *Va voir* **poisson** *page 221.*

Retrouver un mot

• Retrouve dans cette phrase un mot qui est illustré dans la page :
Paul et Camille jouent au jeu de l'oie.

Aa Aa

adorer

un avion

abîmer

une araignée

un abricot

une abeille

une averse

un aquarium

aller

une abeille

Une abeille est un insecte jaune et noir. Elle vole et peut piquer : *les abeilles vivent dans une ruche et fabriquent du miel avec le sucre des fleurs.*

abîmer

Abîmer ses affaires, c'est les mettre en mauvais état : *Thomas a abîmé la poignée de son cartable en le traînant par terre.*

un abricot

Un abricot est un fruit jaune foncé qui a un gros noyau : *on fait de la confiture et des tartes avec les abricots.*

Les abricots poussent sur les abricotiers.

absent, absente

Être absent, c'est ne pas être là : *Chloé est absente de la classe parce qu'elle est malade.*

⊞ Le contraire d'absent, c'est présent.

un accident

Un accident, c'est quelque chose de grave qui arrive alors qu'on ne s'y attendait pas : *il y a eu un accident de voiture sur la route.*

accompagner

Accompagner quelqu'un, c'est aller avec lui dans un endroit : *chaque matin, papa accompagne Laura à l'école.*

accrocher

Accrocher un objet, c'est le fixer au mur ou le suspendre : *Elsa accroche un tableau dans la chambre de Tom.*

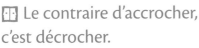

🔲 Le contraire d'accrocher, c'est décrocher.

acheter

Acheter, c'est payer pour avoir quelque chose : *Franck achète un pain à la boulangerie.*
🔲 Le contraire d'acheter, c'est vendre.

Quand on achète quelque chose, on fait un achat.

acide

Un aliment acide pique un peu la langue : *le citron est acide.*

un acrobate, une acrobate

Un acrobate et une acrobate sont des personnes qui travaillent dans un cirque. Ils sont très souples et peuvent faire des mouvements difficiles : *nous admirons les acrobates.*

addition

Faire une addition, c'est ajouter un nombre à un autre nombre : *4 + 3 = 7 est une addition.*
🔲 Le contraire d'une addition, c'est une soustraction.

adorer

Adorer, c'est aimer énormément : *Arthur adore son ours en peluche.*
🔲 Le contraire d'adorer, c'est détester.

une adresse

L'adresse, c'est l'endroit où l'on habite : *sur l'enveloppe, Claire a écrit l'adresse de Sophie : le numéro de sa maison et le nom de sa rue, puis le nom de sa ville et celui de son pays.*

adroit, adroite

Être adroit, c'est savoir bien se servir de ses mains : *il faut être très adroit pour faire des découpages.*

Le contraire d'adroit, c'est maladroit.

un adulte, une adulte

Un adulte et une adulte sont des grandes personnes : *la maman et le papa de Carole sont deux adultes.*

un aéroport

Un aéroport, c'est l'endroit où les avions décollent et atterrissent : *on prend l'avion à l'aéroport.*

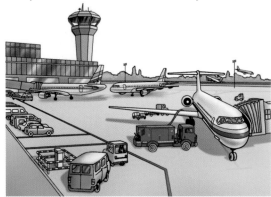

une affiche

Une affiche est une grande feuille de papier avec des mots et des images. On la colle sur un mur ou bien sur un panneau pour faire de la publicité : *Zoé regarde une affiche dans la rue.*

affreux, affreuse

Être affreux, c'est être très laid : *cette sorcière est vraiment affreuse.*

☀ On dit aussi horrible.

⊡ Le contraire d'affreux, c'est magnifique.

l'âge

L'âge d'une personne, c'est le nombre d'années qui ont passé depuis sa naissance : *Quel âge as-tu ? – J'ai 5 ans.*

un agent

Un agent de police est une personne qui s'occupe de la circulation des voitures et de la sécurité. Il porte un uniforme : *l'agent de police fait signe aux voitures de s'arrêter.*

s'agiter

S'agiter, c'est bouger dans tous les sens : *le bébé s'agite dans son berceau.*

⊡ Le contraire de s'agiter, c'est se calmer.

un agneau

Un agneau est un jeune mouton : *un agneau bêle.*

La mère de l'agneau est la brebis, son père est le bélier.

aider

Aider quelqu'un, c'est faire quelque chose d'utile pour lui : *maman aide Hugo à attacher ses lacets.*

A B C D E F G H I J K L M N O P Q R S T U V W X Y Z

un aigle

Un aigle est un grand
oiseau des montagnes.
Il a un bec crochu
et des griffes qu'on
appelle des « serres » : *un aigle
se nourrit de petits animaux.*

*Le petit de l'aigle
est l'aiglon.*

une aiguille

❶ Une aiguille
est une petite tige
fine en métal qui
sert à coudre : *une
aiguille a un bout pointu et un
petit trou pour passer le fil.*
❷ Les aiguilles d'une
pendule montrent
l'heure : *la petite
aiguille est sur le 4 :
il est quatre heures !*

une aile

Les ailes servent
à voler : *les oiseaux
ont deux ailes ;
les papillons ont
quatre ailes.*

ailleurs

Aller ailleurs, c'est aller dans
un autre endroit : *ne reste pas
dans la cuisine, va jouer ailleurs !*
☼ On dit aussi autre part.
▯ Le contraire d'ailleurs,
c'est ici.

aimer

❶ Aimer, c'est
se sentir heureux
d'être avec une
personne : *Pascal
aime beaucoup
sa petite sœur.*
❷ Aimer, c'est
avoir du plaisir
à faire quelque chose : *Iris aime
bien faire de la trottinette.*

l'air

❶ L'air, c'est ce qu'on respire :
*on ne pourrait pas vivre
sans air.*
❷ Regarder en l'air, c'est regarder
vers le haut, vers le ciel : *regarde
en l'air, il y a un bel oiseau !*
❸ L'air d'une chanson, c'est
sa musique : *je connais l'air
de « Mon beau sapin ».*

ajouter

Ajouter, c'est mettre quelque chose en plus : *j'ai ajouté un peu de sucre dans mon yaourt.*

📖 Le contraire d'ajouter, c'est enlever.

un album

❶ Un album de photos est une sorte de gros cahier qui sert à ranger des photos : *Agnès classe les photos des vacances dans l'album.*

❷ Un album est un livre avec des images qui racontent une histoire : *j'ai plusieurs albums de bandes dessinées.*

une algue

Une algue est une plante qui pousse dans l'eau : *il y a des algues dans la mer.*

un aliment

Un aliment sert à se nourrir : *le lait, les œufs, la viande, le pain, le fromage, le poisson, les légumes, les fruits sont des aliments.*

On achète les aliments dans un magasin d'alimentation.

aller

❶ Aller quelque part, c'est se déplacer jusqu'à cet endroit : *Léa est contente d'aller à la plage.*

❷ Aller bien, c'est se sentir bien, c'est être en bonne santé : *Comment allez-vous ? – Je vais bien.*

❸ S'en aller, c'est quitter un endroit : *après la classe, les enfants s'en vont.*

💡 On dit aussi partir.

📖 Le contraire de s'en aller, c'est arriver.

A B C D E F G H I J K L M N O P Q R S T U V W X Y Z

s'allonger

S'allonger, c'est se coucher : *Julien aime s'allonger dans l'herbe pour regarder les nuages.*

💡 On dit aussi s'étendre.

allumer

❶ Allumer quelque chose, c'est y mettre le feu, c'est l'enflammer : *maman allume les bougies avec une allumette.*

❷ Allumer une lampe, c'est appuyer sur le bouton pour que la lampe éclaire : *tu ne vois pas bien, tu devrais allumer ta lampe !*

▦ Le contraire d'allumer, c'est éteindre.

l'alphabet

L'alphabet, ce sont les 26 lettres qui servent à écrire : *l'alphabet commence par la lettre A et finit par la lettre Z.*

une ambulance

Une ambulance est une grande voiture qui sert à transporter les personnes blessées ou malades : *l'ambulance roule vite pour aller à l'hôpital.*

amer, amère

Un aliment amer a un goût particulier, qui n'est ni doux ni sucré : *les endives sont parfois amères.*

un ami, une amie

Un ami, une amie, c'est quelqu'un qu'on aime bien : *Léo est le meilleur ami de Romain.*

▦ Le contraire d'un ami, c'est un ennemi.

s'amuser

S'amuser, c'est faire des jeux et être content : *Julie s'amuse bien avec sa poupée.*
💡 On dit aussi jouer.

> *Quand on s'amuse, on fait quelque chose d'amusant.*

un ananas

Un ananas est un gros fruit sucré. Il est recouvert d'une peau très épaisse : *les ananas poussent sur une plante des pays chauds.*

un âne

Un âne est un animal qui a des poils gris ou bruns et de longues oreilles : *un âne ressemble à un petit cheval.*

> *La femelle de l'âne est l'ânesse. Le petit est l'ânon.*

un animal

Les animaux sont des êtres vivants qui bougent, mangent, font des petits mais qui ne parlent pas : *les chiens, les oiseaux, les serpents, les insectes sont des animaux.*
👁 Va voir « les animaux », p. 290 à 297.

une année

Une année commence le 1er janvier et finit le 31 décembre. Elle a douze mois : *le jour de mon anniversaire, j'ai une année de plus.*
💡 On dit aussi un an.

un anniversaire

L'anniversaire d'une personne, c'est le jour de sa naissance, qu'on fête chaque année : *c'est l'anniversaire de Luc, il a 5 ans.*

> *Bon anniversaire*
> *Nos vœux les plus sincères*
> *Que ces quelques fleurs*
> *Vous apportent le bonheur !*

b
c
d
e
f
g
h
i
j
k
l
m
n
o
p
q
r
s
t
u
v
w
x
y
z

apercevoir

Apercevoir, c'est voir, mais pas très bien, quelque chose ou quelqu'un qui est loin : *j'aperçois un nid dans l'arbre.*

apparaître

Apparaître, c'est être là tout à coup : *les étoiles apparaissent quand la nuit tombe.*

⊞ Le contraire d'apparaître, c'est disparaître.

un appareil photo

Un appareil photo sert à prendre des photos : *papa essaie son nouvel appareil photo.*

appartenir

Quand une chose appartient à quelqu'un, elle est à lui : *le livre rouge appartient à Julie.*

appeler

❶ Appeler une personne ou un animal, c'est leur demander de venir : *mamie nous appelle pour le goûter.*

❷ Appeler une personne, c'est lui téléphoner : *maman m'appelle du bureau.*

❸ S'appeler, c'est avoir un nom précis : *mon chien s'appelle Filou.*
☼ On dit aussi se nommer.

l'appétit

L'appétit, c'est l'envie de manger : *Charlotte a repris du poulet deux fois, car elle a bon appétit.*

Un plat qui donne de l'appétit est appétissant.

applaudir

Applaudir, c'est frapper dans ses mains pour montrer qu'on est content : *à la fin d'un spectacle, tout le monde applaudit pour remercier les artistes.*

s'appliquer

S'appliquer, c'est faire très attention à ce qu'on fait pour que ce soit réussi : *je m'applique pour faire un joli dessin.*

apporter

Apporter quelque chose, c'est le porter dans un endroit : *le père Noël apporte les cadeaux.*

apprendre

❶ Apprendre, c'est découvrir quelque chose qu'on ne savait pas avant : *nous venons d'apprendre que Fabrice allait se marier.*

❷ Apprendre, c'est montrer comment faire quelque chose : *papa apprend à Loïc à se servir de l'ordinateur.*

s'approcher

S'approcher, c'est venir plus près : *François s'approche du tableau pour l'admirer.*

📖 Le contraire de s'approcher, c'est s'éloigner.

appuyer

❶ Appuyer, c'est mettre le doigt ou la main sur quelque chose et pousser : *Camille appuie sur le bouton de la sonnette.*

❷ S'appuyer, c'est poser une partie de son corps contre quelque chose : *Adrien s'appuie contre un rocher pour se reposer.*

après

❶ Après, c'est plus tard : *Paul est arrivé après toi.*

❷ Après, c'est plus loin : *l'école est après la poste.*

📖 Le contraire d'après, c'est avant.

un aquarium

Un aquarium est un récipient en verre. On le remplit d'eau pour y faire nager des poissons : *Alex a de jolis poissons dans son aquarium.*

une araignée

Une araignée est une petite bête qui a huit pattes et pas d'ailes : *l'araignée fabrique une toile pour attraper les insectes.*

L'araignée Tipsi
Monte à la gouttière.
Tiens, voilà la pluie
Tipsi tombe par terre...

un arbre

Un arbre est une très grande plante qui a un tronc, des branches et des feuilles : *un platane, un peuplier, un sapin sont des arbres.*

Un petit arbre est un arbuste.

👁 Va voir « les arbres », p. 298.

un arc

Un arc est une arme qui sert à lancer des flèches : *Romain apprend à tirer à l'arc.*

un arc-en-ciel

Un arc-en-ciel apparaît dans le ciel quand il y a du soleil et de la pluie en même temps : *à la fin d'un orage, on peut voir un arc-en-ciel.*

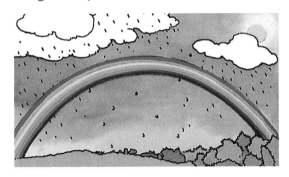

une arête

Les arêtes sont les petits os pointus du poisson : *quand on mange du poisson, il faut faire attention de ne pas avaler les arêtes.*

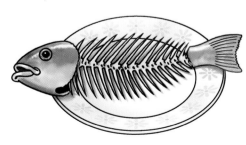

l'argent

L'argent, ce sont les billets et les pièces qui servent à payer : *j'ai sorti mon argent de ma tirelire.*

une arme

Une arme est un objet qui sert à se battre ou à chasser : *un fusil, un pistolet, un poignard, une épée, un canon sont des armes.*

arracher

Arracher, c'est enlever quelque chose en tirant fort : *Gaétan arrache les mauvaises herbes dans le potager.*

arrêter

❶ Arrêter, c'est empêcher de passer : *l'agent de police arrête les voitures au carrefour.*

❷ S'arrêter, c'est ne plus avancer : *la voiture jaune s'est arrêtée au feu rouge.*

l'arrière

L'arrière, c'est la partie qui est derrière : *les enfants s'assoient à l'arrière de la voiture.*

⧉ Le contraire de l'arrière, c'est l'avant.

arriver

❶ Arriver, c'est venir jusqu'à un endroit : *le bateau arrive au port.*

⧉ Le contraire d'arriver, c'est partir.

Le moment et l'endroit où l'on arrive, c'est l'arrivée.

❷ Arriver à faire quelque chose, c'est réussir à le faire : *mon frère arrive à nager sans bouée.*

arroser

Arroser, c'est verser de l'eau sur les plantes : *Pauline regarde mamie arroser les plantes.*

Un arrosoir et un tuyau d'arrosage servent à arroser.

un ascenseur

Un ascenseur est un appareil qui transporte les personnes d'un étage à un autre : *notre voisin sort de l'ascenseur.*

un aspirateur

Un aspirateur est un appareil électrique. Il sert à enlever la poussière qui est sur le sol : *on passe l'aspirateur quand on fait le ménage.*

assembler

Assembler des choses, c'est les mettre ensemble dans un certain ordre : *Julien assemble les pièces de son jeu.*

s'asseoir

S'asseoir, c'est poser ses fesses sur quelque chose : *le soir, maman s'assoit dans un fauteuil pour lire le journal.*

Le contraire de s'asseoir, c'est se mettre debout ou se lever.

une assiette

Une assiette est un objet où l'on sert les aliments qu'une personne va manger : *il y a des assiettes plates et des assiettes creuses.*

un astronaute, une astronaute

Un astronaute et une astronaute sont des personnes qui voyagent dans une fusée pour aller très loin dans le ciel : *les astronautes voyagent dans l'espace.*

On dit aussi un cosmonaute.

attacher

❶ Attacher, c'est faire tenir une chose avec, par exemple, une ficelle, un ruban ou un élastique : *la vendeuse attache le paquet cadeau avec un ruban.*

❷ Attacher, c'est fixer l'un à l'autre les deux bouts d'une chose : *Leïla a attaché sa ceinture de sécurité.*

Le contraire d'attacher, c'est détacher.

attaquer

Attaquer, c'est se jeter
sur une personne ou sur un animal
pour leur faire du mal : *le chat
attaque une souris.*

attendre

Attendre, c'est rester à un endroit
jusqu'à l'arrivée de quelqu'un
ou de quelque chose : *les voyageurs
attendent le train sur le quai
de la gare.*

attention

Faire attention, c'est bien regarder
ce qu'on fait ou bien écouter :
*nous faisons très attention avant
de traverser la rue.*

atterrir

Quand un avion atterrit, il se pose
à terre : *l'avion va atterrir
sur la piste de l'aéroport.*
▢ Le contraire d'atterrir,
c'est décoller.

Le moment où l'avion
atterrit, c'est l'atterrissage.

attraper

❶ Attraper, c'est réussir à prendre
une chose ou une personne
qui bouge : *Damien
essaie
d'attraper
son ballon.*

❷ Attraper une maladie, c'est être
malade : *Lucie a attrapé la varicelle.*

aujourd'hui

Aujourd'hui, c'est le jour où
nous sommes : *aujourd'hui, c'est
mercredi, nous allons à la piscine.*

ausculter

Ausculter quelqu'un, c'est écouter le bruit de sa respiration et de son cœur : *le médecin ausculte le malade.*

une auto

Une auto est un véhicule qui a quatre roues et un moteur. Elle sert à transporter des personnes : *il faut être prudent quand on conduit une auto.*
☀ On dit aussi une automobile ou une voiture.

> *La personne qui conduit une auto est un ou une automobiliste.*

l'automne

L'automne, c'est la saison qui vient après l'été et avant l'hiver : *en automne, beaucoup d'arbres perdent leurs feuilles.*

> *La feuille d'automne emportée par le vent En ronde monotone Tombe en tourbillonnant.*

une autoroute

Une autoroute est une large route divisée en deux parties. Sur chaque partie, toutes les voitures roulent dans le même sens : *les piétons ne doivent pas aller sur l'autoroute.*

autrefois

Autrefois, c'est il y a longtemps : *autrefois, il n'y avait pas de voitures ni d'avions.*

une autruche

L'autruche est le plus grand de tous les oiseaux. Elle court très vite, mais elle ne peut pas voler parce que ses ailes sont trop petites : *l'autruche vit dans les pays chauds.*

> *Le petit de l'autruche est l'autruchon.*

avaler

Avaler, c'est faire descendre dans sa gorge ce qu'on mange ou ce qu'on boit : *quand on a mal à la gorge, on a du mal à avaler.*

avancer

Avancer, c'est aller vers l'avant : *Manon avance à petits pas.*

▯ Le contraire d'avancer, c'est reculer.

avant

❶ Avant, c'est plus tôt : *Marie est arrivée avant moi.*

❷ Avant, c'est moins loin : *le garage est avant le carrefour.*

▯ Le contraire d'avant, c'est après.

une averse

Une averse est une grosse pluie qui ne dure pas longtemps : *Antoine a été surpris par une averse.*

un aveugle, une aveugle

Un aveugle et une aveugle sont des personnes qui ne peuvent pas voir : *les aveugles marchent dans la rue avec une canne blanche et ils ont parfois un chien pour les guider.*

un avion

Un avion est une machine qui vole. Il a deux ailes et un ou plusieurs moteurs. Il sert à transporter des personnes et des choses : *on prend souvent l'avion pour aller à l'étranger.*

avoir

❶ Avoir, c'est posséder : *j'ai une bicyclette neuve.*

❷ Avoir quelque chose à faire, c'est devoir le faire : *nous avons un travail à faire.*

Bb ℬℓ

ne bougie

bâiller

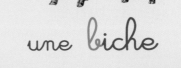

des bulles

es boucles

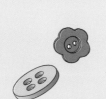

des boutons

une biche

une banane

un bec

une balançoire

bousculer

un bagage

Les bagages, ce sont les valises et les sacs qu'on emporte en voyage : *Adrien aide son père à fermer les bagages.*

se bagarrer

Se bagarrer, c'est donner des coups avec les mains ou avec les pieds : *la maîtresse ne veut pas voir d'enfants se bagarrer à l'école.*
☼ On dit aussi se battre.

Se bagarrer, c'est faire une bagarre.

une bague

Une bague est un bijou qu'on met au doigt : *maman a eu une bague magnifique pour son anniversaire.*

une baguette

❶ Une baguette est un bâton long et mince : *la fée a une baguette magique.*
❷ Une baguette est un pain long et mince : *on achète une baguette chez le boulanger.*

se baigner

Se baigner, c'est se mettre dans l'eau pour s'amuser ou pour nager : *les enfants se baignent dans le lac.*

Se baigner, c'est aussi prendre un bain, se laver dans une baignoire.

une baignoire

Une baignoire est une sorte de bassin qu'on remplit d'eau chaude pour prendre un bain et se laver : *la baignoire est dans la salle de bains.*

bâiller

Bâiller, c'est ouvrir grand la bouche sans le faire exprès quand on a sommeil : *Théo met sa main devant sa bouche quand il bâille.*

un baiser

Donner un baiser, c'est poser ses lèvres sur la joue ou sur les lèvres de quelqu'un : *maman vient me donner un baiser le soir dans mon lit.*

On dit aussi une bise ou un bisou.

baisser

❶ Baisser une chose, c'est la mettre plus bas : *il faudrait baisser un peu la corde pour que Pauline arrive à sauter.*

Le contraire de baisser, c'est lever ou monter.

❷ Se baisser, c'est se mettre plus bas : *Aziz se baisse pour embrasser la petite Nassera.*
On dit aussi se pencher.

une balançoire

Une balançoire est un siège suspendu à deux cordes qui sert à aller d'avant en arrière : *Éva fait de la balançoire dans le jardin.*

Sur une balançoire, on se balance.

une baleine

La baleine est le plus gros de tous les animaux. Elle vit dans la mer, mais ce n'est pas un poisson. Elle ne pond pas d'œufs, mais porte ses petits dans son ventre : *quand la baleine respire, elle lance un petit jet d'eau.*

*C'est la baleine qui tourne et vire
Autour d'un petit navire.
Petit navire, prends garde à toi,
La baleine te mangera...*

59

A B C D E F G H I J K L M N O P Q R S T U V W X Y Z

b
c d e f g h i j k l m n o p q r s t u v w x y z

une balle

Une balle est une boule qui rebondit : *on peut jouer à la balle seul ou à plusieurs.*

Une grosse balle est un ballon.

une banane

Une banane est un fruit jaune et long qui a une peau épaisse : *il faut éplucher la banane pour la manger.*

Les bananes poussent sur les bananiers.

un banc

Un banc, c'est un long siège parfois sans dossier. Plusieurs personnes peuvent s'asseoir dessus :

il y a souvent des bancs en bois dans les jardins publics.

une bande dessinée

Une bande dessinée, c'est une histoire racontée avec des dessins qui se suivent : *dans une bande dessinée, le texte est souvent inscrit dans des « bulles ».* ☼ On dit aussi une BD.

une barbe

La barbe, ce sont les poils qui poussent sur le menton et les joues des hommes : *l'oncle de Lola laisse pousser sa barbe.*

Un homme qui a une barbe est barbu.

une barque

Une barque est un petit bateau qui n'a pas de voile : *pour faire avancer une barque on utilise des rames.*

barrer

❶ Barrer une route, c'est la fermer pour empêcher de passer : *parfois, les policiers barrent la route.*

❷ Barrer un mot, c'est faire un trait dessus : *on barre un mot quand on a fait une faute.*

🔆 On dit aussi rayer.

une barrière

Une barrière empêche d'entrer dans un champ ou dans un jardin : *notre jardin est entouré d'une barrière.*

Une barrière sert à barrer le passage.

bas, basse

❶ Quelque chose de bas est près du sol : *mon petit frère est assis sur une chaise basse.*

▦ Le contraire de bas, c'est haut.

❷ En bas, c'est dans la partie basse : *il y a un numéro en bas de la page.*

▦ Le contraire d'en bas, c'est en haut.

un bassin

Un bassin est creusé pour contenir de l'eau : *il y a des poissons rouges dans le bassin.*

un bateau

Un bateau navigue sur l'eau. Il sert à transporter des personnes ou des choses : *il existe des bateaux à voiles, à rames ou à moteur.*

un bâton

Un bâton est un morceau de bois long et épais : *on peut s'appuyer sur un bâton pour marcher dans la forêt.*

Nous l'attraperons,
La p'tite hirondelle,
Et nous lui donnerons
Trois p'tits coups de bâton...

battre

❶ **Battre** quelqu'un, c'est lui donner des coups : *il ne faut pas battre les animaux.*

☀ On dit aussi frapper ou taper.

❷ Se **battre**, c'est se donner des coups avec les mains ou avec les pieds : *Arthur et Tom sont en train de se battre.*

☀ On dit aussi se bagarrer.

Se battre, c'est faire une bataille.

❸ **Battre** une personne ou une équipe, c'est être plus fort qu'elle : *Max a battu Léo aux cartes.*

bavard, bavarde

Être **bavard**, c'est parler beaucoup : *ma sœur est très bavarde.*

⊞ Le contraire de bavard, c'est silencieux.

Quand on est bavard, on aime bavarder.

beau, belle

❶ Être **beau**, être **belle**, c'est être agréable à regarder ou à écouter : *Clémentine se trouve très belle dans sa robe de princesse.*

☀ On dit aussi joli.

⊞ Le contraire de beau, c'est laid.

❷ On dit : « il fait beau », quand il y a du soleil : *il fait souvent beau en été.*

beaucoup

❶ **Beaucoup**, c'est un grand nombre : *ce coffre est rempli, il y a beaucoup de jouets dedans.*

☀ On dit aussi plein.

⊞ Le contraire de beaucoup, c'est peu.

❷ **Beaucoup**, c'est énormément : *Julie aime beaucoup sa sœur.*

un bébé

Un bébé est un tout petit enfant :
mon petit frère est encore un bébé.

> Madame du Clair de lune
> Accoucha du bébé Prune
> Madame du Clair soleil
> Accoucha du bébé Ciel...

un bec

Le bec d'un oiseau est dur
et pointu. Il lui sert à se nourrir,
à faire son nid et à se défendre :
*le bec du canard est plat et arrondi,
le bec du perroquet est petit et crochu.*

un bélier

Un bélier est un mouton mâle qui
a deux grosses cornes : *il y a souvent
un bélier dans un troupeau de moutons.*

> La femelle du bélier est la
> brebis. Le petit est l'agneau.

bercer

Bercer un bébé, c'est
le balancer
doucement pour
le faire dormir :
*la fée berce
la princesse.*

> Pour bercer un bébé,
> on lui chante parfois aussi
> une berceuse.

un berger, une bergère

Un berger et une bergère sont
des personnes qui s'occupent
des moutons : *le berger conduit
le troupeau au pâturage.*

une bête

Une bête est un animal : *Léa aime
beaucoup les bêtes.*

👁 Va voir « les animaux », p. 290 à 297.

bête

Être bête, c'est ne rien comprendre ou ne pas réfléchir : *je suis vraiment bête d'avoir mis mes chaussures avant mon pantalon !*

On dit aussi idiot.

Le contraire de bête, c'est intelligent.

Quand on est bête, on dit et on fait des bêtises.

le beurre

Le beurre est un aliment jaune et gras qui est fait avec du lait : *Léa étale du beurre sur sa tartine.*

Mettre du beurre sur une tartine, c'est la beurrer.

un biberon

Un biberon est une petite bouteille qui a une tétine : *pour nourrir les bébés, on leur donne à boire un biberon de lait.*

une bibliothèque

Une bibliothèque, c'est un meuble avec des étagères où sont rangés des livres : *il y a une bibliothèque dans notre classe.*

une biche

Une biche est un animal sauvage qui vit dans la forêt : *la biche s'enfuit quand elle entend du bruit.*

La biche est la femelle du cerf. Leur petit est le faon.

une bicyclette

Une bicyclette a deux roues, un guidon et des pédales. Elle sert à transporter une ou deux personnes : *on appuie sur les pédales pour faire avancer une bicyclette.*

On dit aussi un vélo.

bien

Bien, c'est comme il faut : *Julie travaille bien.*
📖 Le contraire de bien, c'est mal.

bientôt

Bientôt, c'est dans peu de temps : *le train va bientôt arriver.*

un bifteck

Un bifteck est une tranche de bœuf ou de cheval : *Maxime adore manger son bifteck avec des frites.*

un bijou

Un bijou est un objet qu'on porte pour faire joli : *une bague, un collier, un bracelet, des boucles d'oreilles sont des bijoux.*

une bille

Une bille est une petite boule de verre coloré qui sert à jouer : *Ivan et Anaïs jouent aux billes dans la cour.*

un billet

❶ Un billet est un papier spécial qui sert à payer : *maman a sorti un billet de son porte-monnaie.*
❷ Un billet est un papier ou un petit carton. On l'achète pour voyager ou pour entrer dans une salle de spectacle : *maman achète un billet de train à la gare.*
💡 Parfois, on dit un ticket.

bizarre

Ce qui est bizarre n'est pas comme d'habitude : *Zoé a une coiffure bizarre aujourd'hui.*

Le contraire de bizarre, c'est normal.

le blé

Le blé est une plante qu'on fait pousser dans les champs. On transforme ses grains en farine pour faire du pain ou des pâtes : *en été, les épis de blé sont jaunes.*

se blesser

Se blesser, c'est se faire très mal : *Julien s'est blessé en tombant et il saigne.*

Quand on se blesse, on a une blessure.

une bobine

Une bobine est un objet qui sert à enrouler du fil : *il y a des bobines de fil de toutes les couleurs.*

un bœuf

Un bœuf est un gros animal qu'on élève à la ferme pour sa viande. Il est de la même famille que la vache : *un bœuf se nourrit d'herbe.*

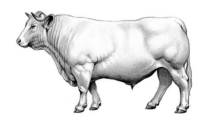

boire

Boire, c'est avaler un aliment liquide : *Guillaume boit du jus de fruits.*

Ce qu'on boit est une boisson.

un *bois*

❶ Le bois est une matière dure. Il sert à fabriquer des maisons et des objets : *on coupe les arbres pour avoir du bois.*

❷ Un bois est un endroit où les arbres poussent les uns à côté des autres : *un bois est plus petit qu'une forêt.*

Promenons-nous dans les bois
Pendant que le loup n'y est pas.
Si le loup y était
Il nous mangerait...

une *boîte*

Une boîte est un objet qui a un couvercle. Elle sert à mettre toutes sortes de choses : *maman a rangé ses chaussures neuves dans une boîte.*

un *bol*

Un bol est un récipient rond et creux qui sert à boire. Il est plus grand qu'une tasse : *on boit du chocolat, du café ou du lait dans un bol.*

bon, bonne

❶ Ce qui est bon est agréable à manger ou à boire : *mamie a fait un bon gâteau au chocolat.*

❷ Ce qui sent bon a une odeur agréable : *les roses sentent bon.*

❸ Ce qui est bon fait plaisir : *Yann nous a appris une bonne nouvelle.*

▥ Le contraire de bon, c'est mauvais.

un *bonbon*

Un bonbon est une petite friandise faite avec du sucre. On peut le sucer ou le croquer : *Justine a un paquet de bonbons de toutes les couleurs.*

Un bonbon, c'est très bon.

un bond

Un **bond** est un saut très haut :
*le chat s'élance d'un bond sur
le buffet, parce qu'il a vu le
poisson dans l'aquarium.*

Faire un bond,
c'est bondir.

un bonhomme

Un **bonhomme** est un personnage
qui ressemble à un homme : *nous
avons fait un bonhomme de neige
dans le jardin.*

bonjour

On dit **bonjour** quand on
rencontre quelqu'un dans la
journée : *Hugo dit bonjour à ses
copains quand il arrive à l'école.*

bonsoir

On dit **bonsoir** quand on rencontre
ou qu'on quitte quelqu'un le soir :
*Fanny dit bonsoir à ses parents
avant d'aller
se coucher.*

le bord

❶ Le **bord**, c'est la limite ou le côté
de quelque chose : *il y a des fleurs
sur le bord du chemin.*
❷ Le **bord** d'un verre, c'est la
partie qui est en haut : *Alexandre
a rempli son verre jusqu'au bord.*
❸ Être au **bord** de la mer, c'est
être près de la mer : *Pierre a passé
ses vacances au bord de la mer.*

une bosse

❶ Une bosse, c'est une boule qui apparaît sous la peau quand on se cogne : *Luc a une bosse au front.*

❷ Une bosse, c'est la partie ronde qui dépasse sur le dos de certains animaux : *les dromadaires ont une bosse ; les chameaux ont deux bosses.*

> Quelqu'un qui a une bosse dans le dos est bossu. Une chose qui a des bosses est bosselée.

un bouc

Le bouc est un animal de la ferme qui a deux grosses cornes et une barbe : *les boucs sentent mauvais.*

> La femelle du bouc est la chèvre. Le petit est le chevreau.

la bouche

La bouche est dans le bas du visage. Elle sert à parler, à manger et à boire : *quand on ouvre la bouche, on voit les dents.*

> La quantité de nourriture qu'on met dans la bouche en une fois, c'est une bouchée.

un bouchon

Un bouchon est un petit objet qui sert à fermer une bouteille ou un tube : *on met souvent un bouchon de liège sur une bouteille de vin.*

> On utilise un bouchon pour boucher.

une boucle

❶ Une boucle de cheveux, c'est une mèche enroulée : *maman a des boucles brunes.*

> Quand on a des boucles, on a les cheveux bouclés.

❷ Une boucle d'oreille, c'est un bijou qu'on porte à l'oreille : *maman porte de jolies boucles d'oreilles vertes.*

bouder

Bouder, c'est montrer qu'on est fâché en restant dans son coin et en refusant de parler : *Léo boude parce que son frère ne veut pas lui prêter ses jouets.*

une bouée

Une bouée est un objet en plastique qu'on gonfle. Elle sert à flotter sur l'eau : *il faut mettre une bouée quand on ne sait pas nager.*

bouger

Bouger, c'est faire des mouvements et changer de place : *ne bougeons plus, Anne va prendre une photo !*
☼ On dit aussi remuer.

une bougie

Une bougie, c'est un objet en cire avec une mèche qu'on fait brûler. Elle sert à s'éclairer ou à décorer : *on allume des bougies quand il y a une panne d'électricité.*

bouillir

Quand l'eau bout, elle est très chaude et elle fait des petites bulles : *papa fait bouillir de l'eau pour les pâtes.*

Quand l'eau vient de bouillir, elle est bouillante.

un bouquet

Un bouquet, c'est
plusieurs fleurs
mises ensemble :
*Thomas a fait
un bouquet avec
des fleurs du jardin.*

un bourgeon

Les bourgeons poussent
sur les arbres, au printemps :
*les bourgeons
deviennent ensuite
des feuilles ou des
fleurs.*

bousculer

Bousculer quelqu'un, c'est le
pousser assez fort : *Lucas a bousculé
Julie en rattrapant le ballon.*

un bout

❶ Le bout d'une chose, c'est la
partie qui se trouve à la fin : *notre
maison est au bout du chemin.*
❷ Un bout est un morceau : *Julien
mange un bout de pain.*

une bouteille

Une bouteille est un récipient
en verre ou en plastique. Elle
sert à garder ce qui est liquide :
*on ferme une bouteille avec
un bouchon.*

un bouton

❶ Un bouton est un petit objet qui
est cousu sur un vêtement. Il sert à le
fermer : *une chemise est un vêtement
qui a des boutons devant.*

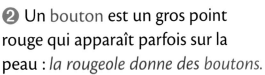

*Fermer un vêtement
avec des boutons, c'est
le boutonner.*

❷ Un bouton est un gros point
rouge qui apparaît parfois sur la
peau : *la rougeole donne des boutons.*
❸ Un bouton est un petit objet
qui sert à allumer ou à éteindre
un appareil électrique : *Léo appuie
sur le bouton de la télévision.*

un bracelet

Un **bracelet** est un bijou qu'on porte autour du poignet : *Marie montre à Louise son joli bracelet en perles.*

une branche

Une **branche** d'arbre, c'est la partie qui part du tronc : *les feuilles, les fleurs et les fruits poussent sur les branches.*

une brebis

Une **brebis** est un mouton femelle : *on fabrique certains fromages avec le lait des brebis.*

Le mâle de la brebis est le bélier. Leur petit est l'agneau.

briller

❶ **Briller**, c'est faire de la lumière : *quand il fait beau, le soleil brille.*

❷ **Briller**, c'est renvoyer la lumière : *les diamants brillent.*

Un objet qui brille est brillant.

un brin

Un **brin** d'herbe, c'est une seule herbe : *regarde ! une coccinelle s'est posée sur un brin d'herbe.*

une brosse

Une **brosse** est un objet qui a des poils. Elle sert à démêler les cheveux, à nettoyer ou à frotter : *Camille se coiffe avec une brosse à cheveux.*

Se servir d'une brosse, c'est brosser.

une brouette

Une brouette est un petit chariot. Elle a une roue devant et deux bras qu'on soulève pour la pousser : *les jardiniers transportent souvent de la terre et des feuilles dans une brouette.*

le brouillard

Le brouillard, c'est une sorte de nuage qui contient des gouttes d'eau minuscules : *quand il y a du brouillard sur la route, les voitures doivent allumer leurs phares.*

*Le brouillard a tout mis
Dans son sac de coton.
Le brouillard a tout pris
Autour de la maison.*

un bruit

Un bruit, c'est ce qu'on entend : *il y a beaucoup de bruit dans la rue.*
▯ Le contraire du bruit, c'est le silence.

Quand on fait du bruit, on est bruyant.

brûler

❶ Le bois brûle quand on a allumé le feu. Il disparaît dans les flammes et se transforme en cendres : *on fait brûler le bois dans la cheminée.*

❷ Se brûler, c'est se faire mal en touchant une chose très chaude : *fais attention à ne pas te brûler avec le fer à repasser !*

*Quand on se brûle,
on se fait une brûlure.*

*Au feu, les pompiers
V'là la maison qui brûle !
Au feu, les pompiers
V'là la maison brûlée !*

brutal, brutale

Être brutal, c'est donner facilement des coups : *ce garçon est brutal, il s'est encore battu !*

⊟ Le contraire de brutal, c'est doux.

une bûche

❶ Une bûche est un gros morceau de bois. Elle sert à faire du feu : *Marine rapporte des bûches pour les mettre dans la cheminée.*

Les personnes qui coupent les bûches dans la forêt sont des bûcherons.

❷ La bûche de Noël est un gâteau qui a la forme d'une bûche de bois : *la bûche de Noël est décorée.*

un buisson

Un buisson est un groupe de petits arbres aux branches emmêlées : *les buissons ont souvent des épines.*

une bulle

Une bulle est une petite boule remplie d'air, très légère et transparente : *Julien fait des bulles de savon.*

un bureau

❶ Un bureau est une table pour écrire : *j'ai un petit bureau dans ma chambre.*

❷ Un bureau est une pièce où l'on travaille : *la directrice de l'école est dans son bureau.*

un bus

Un bus est une immense voiture. Il sert à transporter un grand nombre de personnes dans les rues d'une ville : *nous attendons le bus.*

☀ On dit aussi un autobus.

C c C c

un chat

des cerises

chatouiller

une cigogne

une chauve-souris

des cubes

un cadeau

un câlin

une coccinelle

un cri

une cabane

Une cabane est une petite maison en bois : *la cabane à outils est au fond du jardin.*

se cacher

Se cacher, c'est se mettre dans un endroit pour que les autres ne nous voient pas : *Aurélie se cache derrière le rideau.*

On se cache dans une cachette quand on joue à cache-cache.

un cadeau

Un cadeau est un objet qu'on offre à quelqu'un pour lui faire plaisir : *Paul a eu un beau cadeau pour son anniversaire.*

une cage

Une cage est un objet ou un endroit fermé par des barreaux ou par un grillage. On y enferme des animaux : *lorsqu'on transporte des singes, on les met dans une cage.*

un cahier

Un cahier est fait de feuilles de papier et d'une couverture. On écrit et on dessine sur ses pages : *à l'école, nous avons un cahier d'écriture.*

un caillou

Un caillou est une petite pierre : *le Petit Poucet sème des cailloux blancs pour retrouver son chemin.*

une caisse

❶ Une caisse est une grande boîte : *papa range ses outils dans une caisse.*

❷ La caisse est l'endroit où les clients paient, dans un magasin : *maman paie ses achats à la caisse du supermarché.*

La personne qui travaille à la caisse est un caissier ou une caissière.

un calendrier

Un calendrier est un tableau des jours de l'année où sont marqués les mois, les semaines et les fêtes. Il y a douze colonnes pour les douze mois : *Éva a trouvé la date de sa fête sur le calendrier.*

👁 Va voir « le calendrier », p. 306.

un câlin

Faire un câlin, c'est être dans les bras d'une personne et lui faire des caresses : *je fais un câlin à maman.*

calme

Être calme, c'est rester tranquille et ne pas faire de bruit : *la maîtresse est contente quand nous sommes calmes.*

🔲 Le contraire de calme, c'est agité.

un camion

Un camion est une sorte de très grosse voiture. Il sert à transporter des marchandises et des objets lourds : *quand on déménage, on transporte les meubles dans un camion.*

Une personne qui conduit un camion est un camionneur. Un petit camion est une camionnette.

la campagne

À la campagne, il y a des prés, des bois, des champs et des rivières : *le dimanche, nous allons souvent à la campagne.*

camper

Camper, c'est dormir sous une tente ou dans une caravane : *nous partons camper chaque été.*

Une personne qui campe est un campeur ou une campeuse. Les campeurs font du camping.

un canard

❶ Un canard est un gros oiseau. Il a un large bec et deux grosses pattes palmées : *les canards vivent au bord de l'eau.*

La femelle du canard est la cane. Le petit est le caneton.

❷ On dit : « il fait un froid de canard » quand il fait très froid.

Le canard disait à sa cane : « Ris, cane, ris, cane ».
Le canard disait à sa cane : « Ris, cane », et la cane a ri !

une canne

❶ Une canne est un bâton avec une poignée pour s'appuyer : *grand-père marche avec une canne.*

❷ Une canne à pêche est une longue tige qui se termine par un fil et un hameçon. Elle sert à pêcher les poissons : *grand-père a pris sa canne à pêche.*

78

le caoutchouc

Le caoutchouc **est une matière souple et imperméable :** *avec du caoutchouc, on fait des pneus, des balles pour jouer ou des bottes pour la pluie.*

un caprice

Un caprice **est une petite colère pour essayer d'obtenir quelque chose :** *mon frère fait un caprice parce qu'il veut aller jouer dehors.*

Quand on fait souvent
des caprices,
on est capricieux.

une caravane

Une caravane **est une sorte de petite maison montée sur des roues. Elle est tirée par une voiture :** *nous avons passé nos vacances dans une caravane.*

une caresse

Faire une caresse, **c'est passer doucement la main sur une personne ou sur un animal :** *Adrien fait des caresses à son chien.*

Faire une caresse,
c'est caresser.

le carnaval

Le carnaval, **c'est une grande fête où tout le monde est déguisé :** *le jour du mardi gras, il y a un carnaval : on met un déguisement pour aller à l'école.*

une **carotte**

Une carotte est un légume long et orange : *on peut manger les carottes crues et râpées ou cuites.*

un **carré**

Un carré est une forme qui a quatre côtés pareils : *à l'école, nous apprenons à dessiner des carrés.*

un **carreau**

❶ Un carreau est un petit dessin carré : *le clown porte une veste à carreaux.*

Un carreau a la forme d'un carré.

❷ Un carreau de fenêtre est une vitre : *pour Noël, nous avons décoré les carreaux de la classe.*

un **carrefour**

Un carrefour est un endroit où des routes se croisent : *les voitures ralentissent au carrefour.*

☼ On dit aussi un croisement.

une **carte**

❶ Une carte de géographie, c'est le dessin d'un pays : *sur une carte de géographie, on voit les villes, les montagnes et les fleuves.*

❷ Sur une carte à jouer, il y a des dessins et des nombres : *dans les jeux de cartes, le cœur et le carreau sont rouges, le pique et le trèfle sont noirs.*

❸ Sur une carte postale, il y a une photo d'un côté et une partie pour écrire de l'autre côté : *pendant les vacances, on envoie des cartes postales.*

le carton

Le carton est un papier très épais et très dur : *la couverture de nos livres est en carton.*

casser

❶ Casser un objet, c'est le mettre en plusieurs morceaux : *en jouant avec le chat, Alice a cassé la tasse.* ☼ On dit aussi briser.

❷ Quand une chose est cassée, elle ne fonctionne plus : *la montre de papa est cassée.*

> Polichinelle
> Monte à l'échelle
> Un peu plus haut
> Se casse le dos...

un cauchemar

Un cauchemar est un rêve qui fait peur : *cette nuit, j'ai fait un cauchemar.*

une cave

Une cave est une pièce fraîche qui se trouve sous une maison : *on met souvent du vin ou des objets qu'on n'utilise plus dans une cave.*

un cercle

Un cercle est un rond : *pour apprendre à écrire la lettre « o », Cédric dessine des cercles sur son cahier.*

un cerf

Un cerf est un animal sauvage qui vit dans la forêt. Il a des sortes de cornes sur la tête qu'on appelle des « bois » : *le cerf peut courir très vite.*

> La femelle du cerf est la biche. Le petit est le faon.

un cerf-volant

Un cerf-volant est un objet fait avec du papier ou du tissu et des baguettes de bois. On l'attache au bout d'une longue ficelle pour le faire voler : *le vent entraîne les cerfs-volants.*

une cerise

Une cerise est un petit fruit rouge, rond et sucré qui a un noyau : *on mange des cerises au début de l'été.*

> *Les cerises poussent sur les cerisiers.*

le chagrin

Avoir du chagrin, c'est être très triste : *quand on a du chagrin, on pleure.*

☀ On dit aussi de la peine.

une chaîne

❶ Une chaîne est un objet en métal fait de plusieurs anneaux. Elle sert à attacher : *on attache parfois les gros chiens avec une chaîne.*

❷ Une chaîne est un ensemble de programmes de télévision : *il y a plusieurs chaînes à la télévision.*

une chaise

Une chaise est un siège, un meuble fait pour s'asseoir : *une chaise a quatre pieds.*

une chambre

Une chambre est une pièce où l'on dort : *dans ma chambre, il y a un lit, un bureau et une armoire.*

un chameau

Un chameau est un animal qui vit dans le désert : *le chameau a deux bosses sur le dos.*

La femelle du chameau est la chamelle. Le petit est le chamelon.

un champ

Un champ est un grand terrain à la campagne où l'on cultive des céréales et des légumes : *après la récolte, les agriculteurs récupèrent la paille dans les champs.*

un champignon

Un champignon est une plante avec un chapeau et un pied : *certains champignons peuvent se manger, d'autres contiennent du poison.*

changer

❶ Changer, c'est devenir différent : *on change beaucoup en grandissant.*
☼ On dit aussi se transformer.
❷ Changer, c'est remplacer une chose par une autre chose : *l'ampoule est grillée, il faut la changer.*
❸ Se changer, c'est mettre un autre vêtement : *Fanny se change pour aller jouer dehors.*

une chanson

Une chanson, c'est un air de musique et des paroles : *hier, la maîtresse nous a appris une nouvelle chanson.*

chanter

Chanter, c'est faire de la musique avec la voix : *à l'école, la maîtresse nous fait chanter tous les jours.*

Une personne qui chante est un chanteur ou une chanteuse.

un chapeau

On porte un chapeau sur la tête pour se protéger du froid, du soleil ou de la pluie : *Félix et Lola portent un chapeau quand il y a du soleil.*

*Mon chapeau a quatre bosses
Quatre bosses a mon chapeau
S'il n'avait pas quatre bosses
Ce n'serait pas mon chapeau.*

un château

❶ Un château est une grande et belle maison entourée d'un parc : *les rois et les reines vivent dans des châteaux.*

☼ On dit aussi un palais.

❷ Un château fort avait des tours et était entouré d'un fossé plein d'eau : *on fermait l'entrée du château fort quand les ennemis attaquaient.*

un chat

Un chat est un animal qui a une tête ronde, deux petites oreilles pointues, des moustaches et des griffes qu'il peut rentrer et sortir : *le chat ronronne quand on le caresse et il miaule souvent quand il veut quelque chose.*

La femelle du chat est la chatte. Le petit est le chaton.

chatouiller

Chatouiller une personne, c'est toucher certaines parties de son corps pour la faire rire : *Fanny chatouille Éva sous les bras.*

Si on rit facilement quand on nous chatouille, on est chatouilleux.

chaud, chaude

❶ Ce qui est chaud a une température haute : *ta soupe est très chaude, fais attention, tu risques de te brûler !*

Le contraire de chaud, c'est froid.

❷ Un vêtement chaud protège du froid : *on met des vêtements chauds en hiver.*

❸ On dit : « il fait chaud » quand le temps est chaud.

chauffer

Faire chauffer de l'eau, c'est la mettre sur le feu pour qu'elle devienne chaude : *on fait chauffer de l'eau pour faire cuire les nouilles.*

Pour chauffer une maison, on met le chauffage en marche.

une chaussure

Les chaussures protègent les pieds : *les sandales, les baskets, les bottes sont des chaussures.*

une chauve-souris

Une chauve-souris est un animal qui a un corps de souris et de grandes ailes sans plumes. Elle peut voler, mais ce n'est pas un oiseau : *les chauves-souris dorment le jour, la tête en bas.*

un chemin

Un chemin est une petite route en terre dans la campagne : *les chemins traversent les champs, les prés ou les forêts.*

– Ah ! dis-moi donc bergère,
Par où ce chemin va ?
– Et, par ma foi, monsieur,
Il ne bouge pas de là.

A
B
C
D
E
F
G
H
I
J
K
L
M
N
O
P
Q
R
S
T
U
V
W
X
Y
Z

une cheminée

❶ Une cheminée est l'endroit de la maison où l'on fait du feu : *on met des bûches dans la cheminée.*

❷ Une cheminée est l'endroit par où sort la fumée. Elle se trouve sur le toit de la maison : *on dit que le père Noël passe par la cheminée pour apporter les cadeaux.*

un chêne

Un chêne est un grand arbre qui peut vivre très longtemps. Son bois sert à fabriquer des meubles, des portes et des fenêtres : *le chêne a des fruits qu'on ne mange pas : ce sont les glands.*

une chenille

Une chenille est un très petit animal qui ressemble à un ver, mais qui a le corps recouvert de poils : *la chenille se transforme plus tard en papillon.*

cher, chère

❶ Ce qui est cher coûte beaucoup d'argent : *le pantalon que voudrait Julie est trop cher.*

❷ On dit « cher papa », « chère maman » pour dire qu'on aime beaucoup son papa ou sa maman : *Maxime a commencé sa lettre par : « cher papa et chère maman ».*

chercher

Chercher, c'est essayer de trouver : *Pierre a perdu sa chaussette, il la cherche partout.*

un cheval

Un cheval est un grand animal qui a une crinière, une longue queue et des sabots : *les chevaux galopent très vite.*

La femelle du cheval est la jument. Le petit est le poulain.

une chèvre

Une chèvre est un animal qui a deux cornes et une petite barbe au menton : *avec le lait des chèvres on fabrique du fromage.*

Le mâle de la chèvre est le bouc. Leur petit est le chevreau.

un chien

Un chien est un animal qui aime bien vivre avec les gens. Il peut sentir les odeurs de très loin : *un chien aboie.*

La femelle du chien est la chienne. Le petit est le chiot.

un chiffre

Un chiffre sert à compter : *1, 2, 3, 4, 5, 6, 7, 8, 9 et 0 sont des chiffres.*

le chocolat

❶ Le chocolat est un aliment sucré fait avec du cacao : *j'ai croqué quelques carrés de chocolat.*

❷ Le chocolat est une boisson faite avec de la poudre de chocolat et du lait : *Mehdi boit un chocolat chaud au petit déjeuner.*

choisir

Choisir, c'est décider de prendre la chose qu'on préfère parmi plusieurs choses :
Romain a choisi une tarte aux fraises.

Choisir, c'est faire un choix.

A B C D E F G H I J K L M N O P Q R S T U V W X Y Z

une chose

❶ Une chose est un objet : *un livre, un jouet, une lampe sont des choses.*

❷ Une chose, c'est ce qui arrive ou ce qu'on fait : *Paul fait des choses intéressantes à l'école.*

une cicatrice

Une cicatrice, c'est une marque qui reste sur la peau quand on s'est blessé ou quand on a eu une opération : *Amélie a une cicatrice au bras.*

le ciel

Le ciel, c'est ce qu'on voit dehors quand on lève la tête. Sa couleur change selon le temps : *le ciel est bleu quand il fait beau ; il se couvre de nuages quand il va pleuvoir.*

une cigogne

Une cigogne est un grand oiseau blanc avec le bout des ailes noir : *en automne, les cigognes s'envolent vers les pays chauds.*

Le petit de la cigogne est le cigogneau.

un cinéma

Un cinéma, c'est une salle où l'on peut voir des films et des dessins animés sur un grand écran blanc : *mes grands-parents m'ont emmené au cinéma dimanche dernier.*

la circulation

La circulation, c'est quand il y a beaucoup de voitures, de camions, d'autocars et de motos qui roulent : *dans les grandes villes, il y a toujours beaucoup de circulation.*

un cirque

Un cirque, c'est un lieu où l'on peut voir un spectacle avec des clowns, des acrobates, des jongleurs, des dompteurs et des animaux : *le cirque est installé sous une grande tente qu'on appelle un « chapiteau ».*

des ciseaux

Une paire de ciseaux, c'est un objet fait de deux lames qui sert à découper du papier ou du tissu : *à l'école, on utilise des ciseaux à bouts ronds.*

un citron

Un citron est un fruit des pays chauds qui a la peau jaune et un goût acide : *on presse les citrons pour faire du jus.*

Les citrons poussent sur les citronniers.

clair, claire

Une couleur claire est plus près du blanc que du noir : *Julia a un tee-shirt bleu clair.*
On dit aussi pâle.
Le contraire de clair, c'est foncé.

le clair de lune

Le clair de lune, c'est la lumière qu'envoie la Lune : *les chats aiment bien se promener au clair de lune.*

*Au clair de la lune
Mon ami Pierrot
Prête-moi ta plume
Pour écrire un mot...*

une classe

Une classe est une salle de l'école où les élèves travaillent : *dans une classe, il y a des tables, des chaises, le bureau de la maîtresse et un tableau.*

Va voir « l'école », p. 310.

A B C D E F G H I J K L M N O P Q R S T U V W X Y Z

une clé

Une **clé** est un objet
en métal qui sert à ouvrir et
à fermer une porte ou un tiroir :
on tourne la clé dans une serrure.

une cloche

Une **cloche** est
un objet creux en
métal. À l'intérieur,
une sorte de bâton
la fait résonner
en venant frapper
contre ses parois :
*on entend les cloches de l'église
sonner.*

Une petite cloche
est une clochette.

un clown

Un **clown** est un artiste de cirque.
Il fait des choses amusantes pour
faire rire
les spectateurs :
*les clowns
portent
souvent de
grandes
chaussures
et un faux nez.*

une coccinelle

Une **coccinelle** est un insecte qui
a les ailes rouges avec
des points noirs : *la
coccinelle est très utile
car elle mange les pucerons.*
💡On dit aussi une « bête à bon
Dieu ».

un cochon

❶ Un **cochon** est un animal de
la ferme. Il est rose et a la queue en
tire-bouchon :
*les fermiers élèvent
des cochons pour
leur viande.*
💡On dit aussi un porc.
❷ Un **cochon** d'Inde est un petit
animal qui a des pattes courtes et
qui n'a pas de queue. Il ressemble
à un gros hamster : *un cochon
d'Inde grignote toute la journée.*

le cœur

❶ Le **cœur**, c'est un muscle qui
envoie le sang dans tout le corps :
le cœur bat dans la poitrine.
❷ On dit : « tu as bon **cœur** »
à quelqu'un qui est généreux
et qui est toujours prêt à donner
aux autres.

un coffre

❶ Un coffre est une caisse avec un couvercle : *Florian a rangé ses jouets dans un coffre.*

> Un petit coffre est un coffret.

❷ Le coffre d'une voiture, c'est l'endroit où l'on range les sacs et les bagages : *le coffre se trouve à l'arrière de la voiture.*

se cogner

Se cogner, c'est se donner un coup sans le faire exprès et se faire mal : *papi s'est cogné la cheville contre le pied de la table.*

se coiffer

Se coiffer, c'est mettre ses cheveux en ordre avec un peigne ou une brosse : *Manon se coiffe.*

🔆 On dit aussi se peigner.

> Une personne qui coupe les cheveux est un coiffeur ou une coiffeuse.

la colère

Être en colère, c'est crier et faire de grands gestes parce qu'on n'est pas content : *mon frère est en colère parce que j'ai abîmé sa guitare.*

> Quand on se met vite en colère, on est coléreux.

la colle

La colle est une sorte de pâte qui sert à faire tenir deux choses ensemble : *Lola n'a pas refermé le tube de colle !*

> On utilise de la colle pour coller des choses et faire des collages.

A B C D E F G H I J K L M N O P Q R S T U V W X Y Z

une collection

Une **collection**, ce sont des objets de la même sorte qu'on garde parce qu'on les aime : *Élodie a une collection de coquillages.*

Quand on fait une collection d'objets, on les collectionne.

un collier

Un **collier** est un bijou qu'on porte autour du cou : *Julie a fait un collier avec des perles.*

Quand Julie a dansé, Elle a cassé son collier. Toutes les perles ont roulé Sur les marches de l'escalier.

colorier

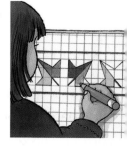

Colorier, c'est mettre des couleurs sur un dessin : *Pauline colorie chaque feuille avec deux couleurs.*

Quand on colorie, on fait du coloriage.

commander

❶ Commander, c'est donner des ordres : *un général commande une armée.*

❷ Commander, c'est demander à l'avance à un marchand quelque chose qu'on viendra chercher plus tard : *mamie a commandé un gâteau chez le pâtissier pour dimanche.*

commencer

Commencer, c'est se mettre à faire quelque chose : *Mathieu commence son puzzle.*

⊟ Le contraire de commencer, c'est finir.

92

comparer

Comparer, c'est regarder si des choses sont pareilles ou différentes : *Amélie compare les deux dessins.*

complet, complète

❶ Un endroit est complet quand il n'y a plus de place : *le parking est complet, il faut se garer ailleurs.*
☀ On dit aussi plein.

❷ Un ensemble de choses est complet quand il ne manque rien : *le jeu de cartes est complet : il y en a 32.*

compliqué, compliquée

Une chose est compliquée quand il faut faire beaucoup d'efforts pour la comprendre : *les livres que lit mon grand frère sont parfois très compliqués.*
☀ On dit aussi difficile.
⊟ Le contraire de compliqué, c'est simple.

comprendre

Comprendre, c'est savoir ce que quelque chose veut dire : *si tu ne comprends pas ce que dit la maîtresse, pose-lui des questions.*

compter

❶ Compter, c'est savoir les nombres dans l'ordre : *nous avons appris à compter jusqu'à 20.*
❷ Compter des personnes ou des objets, c'est dire combien il y en a : *Paul et Coralie comptent leurs billes.*

conduire

Conduire **une voiture**, c'est être au volant pour la faire rouler : *il faut être une grande personne pour avoir le droit de conduire.*

Une personne qui conduit est un conducteur ou une conductrice.

la confiture

La **confiture** est faite avec des fruits cuits mélangés à du sucre : *Louis étale de la confiture de fraises sur ses tartines.*

*Je suis un petit garçon
De bonne figure
Qui aime bien les bonbons
Et les confitures.*

connaître

❶ Connaître **une chose**, c'est la savoir parce qu'on l'a apprise : *Flore connaît une nouvelle comptine.*

❷ Connaître **une personne**, c'est l'avoir déjà rencontrée et savoir qui elle est : *papi connaît mon copain Nicolas.*

Une personne que tout le monde connaît est une personne connue.

consoler

Consoler **une personne**, c'est lui parler gentiment pour qu'elle n'ait plus de peine : *Julien console Guillaume qui pleure.*

construire

Construire **une maison ou un bâtiment**, c'est les fabriquer en assemblant des matériaux : *on construit des maisons en pierre, en bois ou en béton.*

☼ On dit aussi bâtir.

▦ Le contraire de construire, c'est démolir.

Quand on construit, on fait une construction.

un conte

Un conte est une histoire inventée qui raconte des choses extraordinaires : « *le Petit Chaperon rouge* » *est un conte qui raconte l'histoire d'une petite fille et d'un méchant loup qui parle.*

content, contente

On est content quand quelque chose nous fait plaisir : *après les vacances, Clémentine est contente de retrouver son amie Julie.*

continuer

Continuer, c'est ne pas s'arrêter de faire quelque chose : *Julien continue à dessiner, alors qu'on l'appelle pour venir à table.*

copier

Copier, c'est faire ce qui est montré sur le modèle : *Alexandra copie ce qui est écrit au tableau.*

un coq

Un coq est un oiseau de la ferme. Il a une crête rouge sur la tête et de belles plumes sur la queue : *le coq chante tous les matins au lever du soleil.*

La femelle du coq est la poule. Le petit est le poussin.

95

un coquelicot

Un coquelicot est une fleur rouge qui pousse dans les champs : *les pétales du coquelicot sont fragiles.*

*Je descendis dans mon jardin
Pour y cueillir du romarin.
Gentil coquelicot, mesdames,
Gentil coquelicot nouveau.*

un coquillage

Un coquillage est un petit animal de mer. Son corps mou est protégé par une coquille : *les moules et les coques sont des coquillages.*

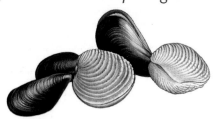

une coquille

Une coquille est une chose dure. Elle protège ce qui est à l'intérieur : *les œufs, les coquillages, les escargots ont une coquille.*

un corbeau

Un corbeau est un gros oiseau noir : *les corbeaux font souvent des dégâts dans les champs.*

une corde

❶ Une corde est une grosse ficelle très solide : *on attache les bateaux au quai avec des cordes.*

❷ Une corde à sauter a deux poignées. Elle sert à jouer : *Fanny, Zoé et Valentine jouent à la corde à sauter.*

le corps

Les grandes parties du corps humain sont la tête, le tronc, les bras et les jambes : *le corps des filles est différent de celui des garçons.*

Va voir « le corps », p. 304.

une côte

❶ Une côte est une route en pente : *Léa monte une côte à vélo.*

❷ Une côte, c'est chacun des os allongés et courbes qui protègent le cœur et les poumons : *nous avons douze paires de côtes.*

un côté

❶ Les côtés d'une forme, ce sont les lignes qui l'entourent : *les quatre côtés d'un carré ont la même longueur.*

❷ Le côté, c'est la partie qui est à droite ou à gauche de quelque chose : *Florian marche sur le côté gauche de la route.*

❸ Être à côté de quelqu'un, c'est être près de lui : *en classe, je suis assise à côté de Romain.*

se coucher

❶ Se coucher, c'est se mettre au lit : *Alexandre aime se coucher tôt.*

❷ Se coucher, c'est disparaître, quand on parle du soleil ou de la lune : *le soir, le soleil se couche.*

▢ Le contraire de se coucher, c'est se lever.

coudre

Coudre, c'est fixer avec une aiguille et du fil : *maman coud un bouton.*

Quand on coud, on fait de la couture.

une couette

❶ Une couette, c'est une grande enveloppe de tissu remplie de petites plumes ou d'une matière qui tient chaud : *la couette remplace la couverture et le drap de dessus.*

❷ Une couette, c'est une coiffure qu'on fait en attachant les cheveux de chaque côté de la tête : *Iris s'est fait des couettes.*

couler

❶ Quand un liquide coule, il se déplace d'un endroit à un autre, il se répand : *l'eau coule du robinet.*

❷ Quand un bateau coule, il tombe au fond de l'eau : *au secours, le bateau coule !*
▣ Le contraire de couler, c'est flotter.

une couleur

Le bleu, le jaune, le rouge, le vert sont des couleurs : *pour avoir du vert, on mélange deux couleurs, le jaune et le bleu ; pour avoir de l'orange, on mélange du jaune et du rouge.*

un coup

❶ Un coup, c'est un choc rapide et brutal : *Maxime donne un coup de pied dans le ballon.*

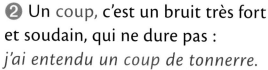

❷ Un coup, c'est un bruit très fort et soudain, qui ne dure pas : *j'ai entendu un coup de tonnerre.*

❸ Un coup, c'est chaque fois qu'on essaie de faire quelque chose : *Julie a réussi à tenir sur ses rollers du premier coup.*

couper

❶ Couper, c'est séparer en plusieurs morceaux avec un couteau : *le boucher coupe des tranches de viande.*

❷ Couper, c'est enlever une partie avec des ciseaux : *le coiffeur coupe les cheveux de Caroline.*

❸ Se couper, c'est s'ouvrir un peu la peau et saigner : *papa s'est coupé le menton avec son rasoir.*

la cour

La cour de l'école, c'est la partie située dehors, où les élèves peuvent jouer : *les enfants jouent dans la cour pendant la récréation.*

courageux, courageuse

Être courageux, c'est faire une chose difficile qui fait peur : *les pompiers sont très courageux ; ils font tout leur possible pour sauver les gens.*

📖 Le contraire de courageux, c'est peureux.

> Une personne courageuse a du courage.

courir

Courir, c'est avancer très vite : *nous avons couru pour attraper le train.*

le courrier

Le courrier, c'est les lettres et les cartes qu'on envoie et qu'on reçoit par la poste : *mamie vient de recevoir du courrier.*

la course

❶ Quand on fait la course, on court très vite pour arriver le premier : *Léa et Paul font la course.*

❷ Faire les courses, c'est acheter de la nourriture, des objets pour la maison ou des vêtements : *papa fait les courses le samedi.*

☀ On dit aussi faire les commissions.

court, courte

❶ Ce qui est court a une petite distance d'un bout à l'autre : *Lucie a les cheveux courts.*

❷ Ce qui est court ne dure pas longtemps : *le film est court.*

 Le contraire de court, c'est long.

un cousin, une cousine

Le cousin et la cousine d'une personne, ce sont les enfants de son oncle et de sa tante : *Loïc et Amandine sont cousins.*

– Bonjour, ma cousine.
– Bonjour, mon cousin germain. On m'a dit que vous m'aimiez. Est-ce bien la vérité ?

un couteau

Un couteau est un objet fait d'un manche et d'une lame. Il sert à couper : *il existe des couteaux pointus et des couteaux à bout rond.*

une couverture

❶ Une couverture, c'est un grand tissu épais et chaud qu'on met sur les draps : *j'ai une couverture en laine rouge sur mon lit.*

❷ La couverture d'un livre, c'est le carton qui protège toutes les pages : *le titre d'un livre est écrit sur la couverture.*

Une couverture sert à couvrir.

couvrir

❶ Couvrir, c'est mettre quelque chose qui protège : *papa couvre nos livres avec du plastique.*
On dit aussi recouvrir.

❷ Couvrir, c'est fermer avec un couvercle : *Luc couvre la casserole.*

❸ Se couvrir, c'est mettre des habits qui tiennent chaud : *couvre-toi bien car il neige !*

une craie

Une craie est un petit bâton qui sert à écrire sur un tableau ou sur une ardoise. Elle se casse facilement : *le maître écrit avec une craie blanche sur le tableau.*

un crapaud

Un crapaud est un animal qui ressemble à une grosse grenouille, mais qui a des pattes arrière bien plus courtes qu'elle : *le crapaud vit sur terre, près des mares, et il se nourrit de petits insectes.*

un crayon

Un crayon, c'est une sorte de petit bâton avec une mine à l'intérieur. Il sert à écrire et à dessiner : *on fait de beaux coloriages avec des crayons de couleur.*

une crèche

Une crèche, c'est l'endroit où des grandes personnes s'occupent des bébés pendant la journée : *maman emmène mon petit frère à la crèche chaque matin.*

une crème

❶ La crème, c'est la matière grasse qui est dans le lait : *la crème sert à faire le beurre et le fromage.*
❷ Une crème, c'est un dessert qu'on fait avec des œufs, du lait et du sucre : *j'adore la crème au caramel.*

une crêpe

Une crêpe est faite avec de la farine, du lait et des œufs. On la fait cuire dans une poêle : *Adrien fait sauter une crêpe.*

Le restaurant où l'on mange des crêpes est une crêperie.

creuser

Creuser, c'est faire un trou dans le sol : *le chien creuse la terre pour cacher son os.*

crever

Quand un pneu crève, il est percé et il se dégonfle : *j'ai roulé sur un clou et le pneu de mon vélo a crevé.*

un cri

Un cri, c'est un son très fort qu'on fait avec sa voix : *quand Benjamin a vu l'araignée, il a poussé un grand cri.*

Pousser un cri, c'est crier.

un crocodile

Un crocodile est un animal qui vit dans les fleuves des pays chauds. Il a un long corps recouvert d'écailles et des dents très pointues : *quand un crocodile ne bouge pas, on peut le confondre avec un tronc d'arbre.*

Ah ! les cro, cro, cro,
Les cro, cro, cro, les crocodiles
Sur les bords du Nil, ils sont
partis, n'en parlons plus...

croiser

❶ Croiser les jambes ou les bras, c'est les mettre l'un sur l'autre, en formant une croix : *Marine croise les bras quand elle écoute la maîtresse.*
❷ Quand deux choses se croisent, elles se rencontrent et elles se coupent : *on installe souvent des feux à l'endroit où deux routes se croisent.*

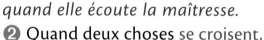

Quand deux routes se croisent, elles forment un croisement.

un croissant

❶ Un croissant de lune, c'est une petite partie de la Lune qui forme deux cornes comme un grand C : *Chloé regarde le croissant de lune.*

❷ Un croissant est une pâtisserie. On l'appelle « croissant » parce qu'il a la forme d'un croissant de lune : *on mange parfois des croissants au petit déjeuner.*

croquer

Croquer un aliment dur, c'est l'écraser entre ses dents : *mon hamster croque des graines.*

cru, crue

Un aliment cru n'a pas été cuit : *certains légumes peuvent se manger crus.*
▣ Le contraire de cru, c'est cuit.

un cube

Un cube, c'est un objet qui a six faces carrées : *Axel a construit une maison avec son jeu de cubes.*

cueillir

Cueillir des fleurs ou des fruits, c'est couper leurs tiges : *Tom cueille des tomates dans le potager.*

une cuillère

Une cuillère est un objet qui a un manche et une partie creuse. Elle sert à manger un aliment liquide : *on mange les yaourts avec une petite cuillère.*

> La quantité qu'on peut mettre dans une cuillère est une cuillerée.

A B C D E F G H I J K L M N O P Q R S T U V W X Y Z

cuire

Faire cuire un aliment, c'est le faire chauffer pour pouvoir le manger : *maman fait cuire un rôti dans le four.*

une cuisine

❶ La cuisine, c'est la pièce où l'on prépare les repas : *nous déjeunons et nous dînons dans la cuisine.*

❷ Faire la cuisine, c'est préparer le repas : *aujourd'hui, c'est papa qui fait la cuisine.*

Une personne qui fait la cuisine c'est un cuisinier ou une cuisinière.

une cuisinière

Une cuisinière est un appareil qui sert à faire cuire les aliments. Elle a des plaques et un four : *maman allume le four de la cuisinière.*

Une cuisinière permet de faire la cuisine.

curieux, curieuse

Quand on est curieux, on veut toujours tout savoir, même ce qui ne nous regarde pas : *Théo est trop curieux : il écoute aux portes !*

Le défaut d'une personne curieuse, c'est la curiosité.

un cycliste, une cycliste

Un cycliste et une cycliste sont des personnes qui roulent à bicyclette : *les coureurs cyclistes s'entraînent pour le Tour de France.*

un cygne

Un cygne est un grand oiseau qui vit sur l'eau. Il a un grand cou très souple en forme de S et des plumes blanches ou noires : *les cygnes nagent comme les canards.*

Dd Dd

une dispute

un dindon

un dinosaure

n dessert

un dé

un dromadaire

déchirer

découper

dangereux, dangereuse

Ce qui est dangereux peut provoquer un accident : *c'est dangereux de faire du roller sans regarder.*

Une chose dangereuse nous met en danger.

danser

Danser, c'est faire des pas et des mouvements sur un air de musique : *nous suivons des cours pour apprendre à danser.*

Une personne qui danse est un danseur ou une danseuse.

Sur le pont d'Avignon,
L'on y danse, l'on y danse.
Sur le pont d'Avignon,
L'on y danse tous en rond.

un dauphin

Un dauphin est un gros animal de la mer. Il vit en groupes parfois immenses et se nourrit de poissons : *le dauphin est très joueur : il accompagne souvent les bateaux en bondissant hors de l'eau.*

un dé

❶ Un dé est un petit cube avec des points sur chaque face, de un à six : *on lance les dés pour savoir qui jouera le premier.*

❷ Un dé à coudre est un petit objet en métal. On le met au doigt pour ne pas se piquer quand on coud : *mamie coud toujours avec un dé.*

le début

Le début, c'est le moment où quelque chose commence : *la distribution, c'est le début de la partie de cartes.*

On dit aussi le commencement.

 Le contraire du début, c'est la fin.

déchirer

Déchirer, c'est mettre en morceaux du papier ou du tissu : *papa déchire de vieux papiers.*

décider

Décider, c'est choisir de faire quelque chose après avoir réfléchi : *mamie a décidé d'acheter un ordinateur.*

décorer

Décorer, c'est mettre de jolies choses dans un endroit pour qu'il soit plus gai et plus agréable : *Lola décore sa chambre avec des images.*

Les choses qui décorent sont des décorations.

découper

Découper, c'est couper avec des ciseaux ou un couteau : *Paul découpe du papier.*

Quand on découpe avec des ciseaux, on fait du découpage.

découvrir

Découvrir, c'est trouver une chose qui était cachée : *Ali Baba a découvert un trésor dans la caverne.*

un défaut

Un défaut, c'est quelque chose qui n'est pas bien : *la méchanceté et le mensonge sont des défauts.*

📖 Le contraire d'un défaut, c'est une qualité.

défendre

❶ **Défendre** quelqu'un, c'est venir à son secours pour le protéger : *Hugo défend les plus petits.*

📖 Le contraire de défendre, c'est attaquer.

❷ **Défendre** quelque chose, c'est dire qu'il ne faut pas le faire : *maman me défend de traverser la rue tout seul.*

💡 On dit aussi interdire.

📖 Le contraire de défendre, c'est permettre ou autoriser.

se déguiser

Se déguiser, c'est mettre des vêtements qui font ressembler à un personnage, à un animal ou à autre chose : *pour s'amuser Betty s'est déguisée avec des vêtements de sa grand-mère.*

Pour se déguiser, on met un déguisement.

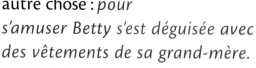

le déjeuner

❶ Le déjeuner, c'est le repas de midi : *les élèves vont à la cantine pour le déjeuner.*

❷ Le petit déjeuner, c'est le repas du matin : *Nicolas mange des tartines au petit déjeuner.*

Quand on prend son déjeuner ou son petit déjeuner, on déjeune.

demain

Demain, c'est le jour qui suit aujourd'hui : *nous sommes dimanche et demain nous serons lundi.*

📖 Le contraire de demain, c'est hier.

demander

❶ Demander, c'est poser une question à quelqu'un : *papi demande à Clément s'il veut aller au zoo.*

❷ Demander, c'est dire à quelqu'un ce qu'on veut ou ce qu'on désire : *j'ai demandé à mes parents un livre pour mon anniversaire.*

déménager

Déménager, c'est quitter sa maison pour aller habiter ailleurs : *quand on déménage, on transporte toutes les affaires de l'ancienne maison dans la nouvelle.*

Déménager, c'est faire un déménagement.

démolir

Démolir une maison, c'est la casser complètement : *les ouvriers démolissent une vieille maison.*
💡 On dit aussi détruire.
🔲 Le contraire de démolir, c'est construire.

une dent

❶ Les dents poussent dans la bouche. Elles servent à mâcher et à croquer : *je me brosse les dents après chaque repas.*

On nettoie ses dents avec du dentifrice. Le docteur qui soigne les dents est un ou une dentiste.

❷ Les dents sont les pointes de certains objets : *un peigne, une fourchette ont des dents.*

*Une jeune fille
De quatre-vingt-dix ans
En mangeant d'la crème
S'est cassé une dent.*

dépasser

Dépasser, c'est passer devant : *la voiture jaune a dépassé la voiture rouge.*

se dépêcher

Se dépêcher, c'est faire les choses vite : *on est obligé de se dépêcher quand on est en retard.*
💡On dit aussi se presser.

dernier, dernière

❶ **Le dernier,** c'est celui qui vient après tous les autres : *Alexandre est arrivé le dernier de la course.*
▢ Le contraire du dernier, c'est le premier.

❷ **L'année dernière,** c'est l'année qui était avant cette année : *j'ai appris à nager l'année dernière.*
▢ Le contraire de l'année dernière, c'est l'année prochaine.

derrière

Derrière, c'est dans la partie qui est à l'arrière : *dans la voiture, les enfants se mettent derrière.*
▢ Le contraire de derrière, c'est devant.

descendre

❶ **Descendre,** c'est aller en bas : *Tom descend au rez-de-chaussée par les escaliers.*

❷ **Descendre,** c'est porter en bas : *grand-père a descendu les valises dans la cave.*
▢ Le contraire de descendre, c'est monter.

un désert

Un désert est une région très sèche, sans eau, où presque rien ne pousse. Il est fait de sable et de pierres : *le plus grand désert du monde se trouve en Afrique, c'est le Sahara.*

désobéir

Désobéir, c'est faire ce qui est défendu : *nous avons été punis parce que nous avons désobéi.*

Le contraire de désobéir, c'est obéir.

Quand on désobéit, on est désobéissant.

le désordre

Le désordre, c'est quand des affaires traînent, quand rien n'est rangé : *la chambre de Loïc est en désordre.*

Le contraire du désordre, c'est l'ordre.

un dessert

Un dessert, c'est un aliment sucré qu'on mange à la fin du repas : *les gâteaux, les glaces, les fruits sont des desserts.*

un dessin

❶ Un dessin, ce sont des traits sur un papier qui représentent quelque chose : *Julien a fait un très joli dessin.*

Faire un dessin, c'est dessiner.

❷ Un dessin animé, c'est un petit film fait avec des dessins : *nous avons vu un dessin animé de Walt Disney : « Le Roi Lion ».*

dessous

Ce qui est dessous est sous quelque chose : *le chien n'est pas sur le fauteuil, il est dessous.*

Le contraire de dessous, c'est dessus.

dessus

Ce qui est dessus est sur quelque chose : *le chat n'est pas sous le fauteuil, il est dessus.*

Le contraire de dessus, c'est dessous.

A B C **D** E F G H I J K L M N O P Q R S T U V W X Y Z

détester

Détester, c'est ne pas aimer
du tout : *Léa déteste les épinards.*
⊞ Le contraire de détester,
c'est adorer.

devant

Devant, c'est dans la partie
qui est à l'avant : *dans la voiture,
le conducteur est assis devant.*
⊞ Le contraire de devant,
c'est derrière.

deviner

Deviner, c'est trouver la réponse :
*quand on joue à colin-maillard,
on doit deviner qui on attrape.*

*Deviner, c'est aussi
trouver la solution
d'une devinette.*

dévorer

Dévorer, c'est manger
avec beaucoup
d'appétit et très vite :
*Caroline dévore
une tarte.*

un dictionnaire

Un dictionnaire, c'est un livre où
les mots sont classés dans l'ordre
des lettres de l'alphabet. Il explique
ce que les mots veulent dire :
*il faut bien connaître l'alphabet
pour trouver un mot dans
le dictionnaire.*

différent, différente

Quand deux personnes, deux
animaux ou deux choses sont
différents, ils ne se ressemblent
pas : *ces deux chiens sont très
différents.*
⊞ Le contraire de différent,
c'est pareil.

difficile

Une chose est difficile quand il faut faire beaucoup d'efforts pour la réussir : *c'est très difficile de jongler avec quatre balles.*

💡 On dit aussi compliqué ou dur.

📖 Le contraire de difficile, c'est facile ou simple.

un dindon

Un dindon est un gros oiseau. On l'élève dans une ferme pour sa viande : *le dindon fait la roue en dressant les plumes de sa queue.*

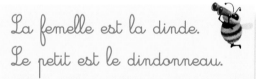

La femelle est la dinde.
Le petit est le dindonneau.

le dîner

Le dîner, c'est le repas du soir : *en hiver, maman prépare souvent de la soupe pour le dîner.*

Quand on prend son dîner,
on dîne.

un dinosaure

Les dinosaures sont des animaux qui vivaient il y a très longtemps. Ils ont maintenant disparu : *il existait des dinosaures de toutes les tailles.*

👁 Va voir « les dinosaures », p. 288.

un directeur, une directrice

Un directeur et une directrice sont les personnes qui commandent, qui dirigent les autres : *maman a rendez-vous avec le directeur de la banque.*

la direction

La direction, c'est le chemin à suivre : *sur la route, un panneau indique la direction du château.*

113

disparaître

Quand une chose disparaît, on ne la voit plus : *le matin, les étoiles disparaissent du ciel.*
▢▢ Le contraire de disparaître, c'est apparaître.

se disputer

Se disputer, c'est se dire des mots méchants et crier : *Axel et Lucie se disputent parce qu'ils veulent le même jouet.*

un disque

Un disque est un objet rond et plat. Il contient des chansons, de la musique et des histoires : *en classe, nous avons écouté le disque de « Pierre et le loup ».*
☼ On dit aussi un CD.

distribuer

Distribuer, c'est donner quelque chose à chaque personne : *Mehdi distribue les cartes à ses amis.*

Distribuer, c'est faire la distribution.

divorcer

Quand un homme et une femme divorcent, ils ne sont plus mariés et ils n'habitent plus ensemble : *depuis que mes parents ont divorcé, je les vois séparément.*

un doigt

Une main a cinq doigts. Ils servent à toucher et à prendre : *chaque doigt a un nom : le pouce, l'index, le majeur, l'annulaire et l'auriculaire.*

Les pieds ont aussi des doigts qui s'appellent les « orteils ».

👁 Va voir « le corps », p. 304.

un dompteur, une dompteuse

Un dompteur et une dompteuse sont les personnes qui présentent des animaux sauvages au cirque. Ils leur apprennent à faire des choses difficiles : *le dompteur fait sauter le tigre dans un cerceau.*

donner

❶ Donner, c'est faire un cadeau : *Paul donne une marguerite à Zoé.*
☼ On dit aussi offrir.

❷ Donner une information, c'est la dire ou l'écrire : *Valentin m'a donné son adresse et son numéro de téléphone.*

dormir

Dormir, c'est fermer les yeux et trouver le sommeil pour se reposer : *il faut bien dormir la nuit pour être en forme pendant la journée.*

le dos

❶ Le dos, c'est la partie du corps qui va du cou aux fesses : *Éva s'allonge sur le dos pour faire une galipette en arrière.*
❷ Quand une personne est de dos, elle nous montre son dos : *sur le dessin, Léa est de dos.*
⊞ Le contraire d'être de dos, c'est être de face.

doubler

Doubler, c'est passer devant : *une moto a doublé notre voiture.*
☼ On dit aussi dépasser.

115

doux, douce

❶ Ce qui est doux est agréable à toucher : *le lapin de Théo a des poils très doux.*

❷ Une personne douce est gentille et calme : *mamie est douce, elle ne crie jamais.*

un drapeau

Un drapeau est un morceau de tissu attaché à un bâton. Ses couleurs et ses dessins ont été choisis pour représenter un pays ou un groupe de pays : *le drapeau de l'Europe est bleu avec douze étoiles jaunes.*

le droit

Avoir le droit de faire quelque chose, c'est pouvoir le faire parce que c'est permis : *à la cantine, nous avons le droit de parler.*
☼ On dit aussi la permission.

droit, droite

❶ Ce qui est droit ne tourne pas et n'est pas de travers : *l'architecte trace des lignes droites avec sa règle.*
❷ La main droite est la main qui n'est pas du côté du cœur : *Lola écrit de la main droite.*
⊞ Le contraire de droit, c'est gauche.

Quand on écrit de la main droite, on est droitier.

un dromadaire

Un dromadaire, c'est un grand animal qui vit dans le désert. Il ressemble à un chameau mais n'a qu'une bosse : *un dromadaire peut rester longtemps sans manger ni boire.*

dur, dure

❶ Une chose dure ne se casse pas facilement : *le noyau des pêches est dur.*
⊞ Le contraire de dur, c'est mou.
❷ Ce qui est dur à faire demande des efforts : *quand on fait du coloriage, c'est dur de ne pas déborder.*
☼ On dit aussi difficile ou compliqué.
⊞ Le contraire de dur, c'est simple.

E e 𝓔 e

des enveloppes

mbrasser

emporter

s'enrhumer

un escargot

un écureuil

des éclairs

'égratigner

des euros

un éléphant

l'eau

L'eau est un liquide transparent et sans odeur : *les humains, les animaux et les plantes ont tous besoin d'eau pour vivre.*

échanger

Échanger, c'est donner une chose et en recevoir une autre à la place : *Thomas voudrait échanger ses gants contre la paire de baskets d'Agnès.*

une échelle

Une échelle est un objet fait de barreaux qui sert à monter et à atteindre quelque chose en hauteur : *on a installé une échelle pour monter dans le grenier.*

éclabousser

Éclabousser, c'est mouiller en envoyant de l'eau de tous les côtés : *dans la baignoire, Julie s'amuse à éclabousser Étienne.*

Quand on se fait éclabousser, on reçoit des éclaboussures.

un éclair

❶ Un éclair, c'est une lumière très forte qui fait des zigzags dans le ciel pendant un orage : *on voit l'éclair avant d'entendre le bruit du tonnerre.*

❷ Un éclair, c'est un gâteau long, avec de la crème parfumée au chocolat ou au café : *maman nous a acheté des éclairs pour le dessert.*

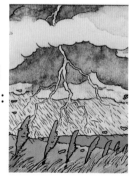

éclairer

Éclairer, c'est donner de la lumière :
le soir, les lampes éclairent la maison.

> La lumière qui éclaire un
> endroit, c'est l'éclairage.

éclater

1 Éclater, c'est se déchirer d'un
seul coup en faisant du bruit :
le pneu de la voiture a éclaté.
On dit aussi crever.

2 Éclater de rire,
c'est se mettre
tout à coup à rire
très fort : *Manon*
éclate de rire
en voyant Julien
danser.

une école

Une école, c'est l'endroit où les
enfants vont pour apprendre
plein de choses, par exemple à
lire, à écrire et à compter : *dans*
une école, il y a souvent plusieurs
classes et une grande cour.

> Un enfant qui va à l'école est
> un écolier ou une écolière.

Va voir « l'école », p. 310.

écouter

Écouter, c'est faire
attention à ce
qu'on entend, aux
bruits, aux
paroles,
aux sons :
Hugo écoute
de la musique.

écraser

1 Écraser, c'est aplatir quelque
chose ou le mettre en petits
morceaux en appuyant très fort
dessus : *on écrase les pommes*
de terre pour faire de la purée.

2 Écraser, c'est tuer une personne
ou un animal en roulant sur eux
avec une voiture : *les hérissons*
se font parfois écraser sur la route.

écrire

1 Écrire, c'est tracer des
lettres ou des
mots avec un
crayon ou bien
un stylo : *Fabien*
apprend à écrire.

2 Écrire, c'est envoyer une lettre
ou une carte à quelqu'un : *maman*
écrit à ses amis lorsqu'elle part
en voyage.

un écureuil

Un écureuil est un petit animal roux ou gris avec une longue queue touffue. Il vit dans les bois : *l'écureuil mange des noisettes.*

effacer

Effacer, c'est faire disparaître ce qui est écrit ou dessiné : *la maîtresse efface le tableau.*

un effort

Faire un effort, c'est se donner du mal pour réussir quelque chose : *Benjamin et Inès font des efforts pour soulever le sac qui est lourd.*

effrayant

Ce qui est effrayant fait très peur : *la nuit dernière, Antonin a fait un cauchemar effrayant : il a rêvé qu'un loup voulait le manger.*

On dit aussi horrible.

égal, égale

❶ Des choses sont égales quand elles ont la même taille : *Vincent a coupé le gâteau en quatre parts égales.*

❷ On dit : « ça m'est égal » quand quelque chose n'a pas d'importance pour nous.

égoïste

Être égoïste, c'est ne penser qu'à soi et jamais aux autres : *tu es égoïste, tu as mangé tous les chocolats sans nous en donner !*

s'égratigner

S'égratigner, c'est se blesser en se coupant un tout petit peu la peau : *Marin s'est égratigné le genou en tombant.*

Quand on s'égratigne, on se fait une égratignure.

💡 On dit aussi s'écorcher.

un élastique

Un élastique, c'est une bande ou un fil en caoutchouc qui peut s'étirer et qui reprend sa forme quand on le lâche : *Nassera a attaché ses cheveux avec un gros élastique jaune.*

l'électricité

L'électricité permet de s'éclairer, de se chauffer et de faire marcher des machines : *notre cuisinière fonctionne à l'électricité.*

un éléphant

Un éléphant est un énorme animal gris qui vit dans les pays chauds. Il a de grandes oreilles, une trompe et des défenses : *les éléphants mangent de l'herbe.*

La femelle est l'éléphante. Le petit est l'éléphanteau.

un élève, une élève

Un élève et une élève sont des enfants qui vont à l'école : *les élèves travaillent dans la classe.*
💡 On dit aussi un écolier et une écolière.

s'éloigner

S'éloigner, c'est s'en aller plus loin :
le train part, il s'éloigne de la gare.
Le contraire de s'éloigner, c'est
s'approcher.

un embouteillage

Un embouteillage se forme quand
les voitures sont trop nombreuses
sur la route et qu'elles ne peuvent
plus avancer : *il y a souvent
des embouteillages au moment
des départs en vacances.*

embrasser

Embrasser, c'est donner des
baisers : *Félix embrasse son amie
Élodie.*

emmener

Emmener quelqu'un, c'est le faire
venir avec soi dans un endroit :
papa nous emmène jouer au parc.
On dit aussi accompagner.

empêcher

Empêcher, c'est rendre quelque
chose impossible : *parfois,
le mauvais temps nous empêche
de sortir.*
Le contraire d'empêcher,
c'est permettre.

emporter

Emporter quelque
chose, c'est le prendre
avec soi quand on
part : *Julie emporte
sa poupée
en vacances.*
Le contraire
d'emporter, c'est laisser.

enceinte

Une femme enceinte porte un bébé dans son ventre : *la tante de Lola est enceinte ; son bébé va bientôt naître.*

s'endormir

S'endormir, c'est commencer à dormir : *ne fais pas de bruit, Pierrot vient de s'endormir.*
🔲 Le contraire de s'endormir, c'est se réveiller.

Il s'endort, le petit Pierrot
Dans son blanc berceau
de dentelles.
Il s'endort, le petit Pierrot,
Pas de bruit, fermons
les rideaux.

un endroit

❶ Un endroit, c'est une place ou un lieu précis : *Hugo ne sait plus à quel endroit il a mis son cartable.*
❷ L'endroit, c'est le côté de quelque chose qu'on doit voir, c'est le bon côté : *Fanny retourne son pull pour le mettre à l'endroit.*
🔲 Le contraire de l'endroit, c'est l'envers.

s'énerver

S'énerver, c'est se mettre en colère : *Héloïse s'énerve parce que son bifteck est trop dur.*

un enfant, une enfant

❶ Un enfant est un petit garçon et une enfant est une petite fille : *plus tard, les enfants deviennent des grandes personnes.*

❷ Un enfant, c'est le fils ou la fille d'une personne : *nos voisins ont deux enfants, Lucie et Antoine.*

enfermer

Enfermer une personne ou un animal, c'est les mettre dans un endroit fermé d'où ils ne peuvent pas sortir : *on enferme les oiseaux dans une cage pour qu'ils ne s'envolent pas.*

enfiler

❶ Enfiler un vêtement, c'est le mettre : *Tom enfile sa cagoule.*

❷ Enfiler des perles, c'est passer un fil dans le trou des perles : *Léa enfile des perles pour faire un collier.*

enfoncer

Enfoncer, c'est faire entrer quelque chose dans un mur ou dans du bois : *papa tape avec son marteau pour enfoncer un clou.*

s'enfuir

S'enfuir, c'est partir très vite : *le voleur s'est enfui quand il a vu un policier.*

🔆 On dit aussi se sauver.

enlever

❶ Enlever un vêtement, c'est retirer un vêtement qu'on portait sur soi : *Marie enlève son pull parce qu'elle a trop chaud.*

▦ Le contraire d'enlever, c'est mettre ou enfiler.

❷ Enlever un objet d'un endroit, c'est le mettre à un autre endroit : *enlève tes chaussures de la cuisine, ce n'est pas leur place !*

🔆 On dit aussi retirer.

un ennemi, une ennemie

Un ennemi, une ennemie, c'est une personne qui déteste quelqu'un et qui cherche à être méchante avec lui : *dans les contes, le héros doit se battre contre ses ennemis.*

📖 Le contraire d'un ennemi, c'est un ami.

s'ennuyer

S'ennuyer, c'est ne pas savoir quoi faire et trouver que le temps ne passe pas vite : *Laura s'ennuie parce qu'elle est toute seule.*

énorme

Être énorme, c'est être très gros et très grand : *l'éléphant est un animal énorme.*

🔆 On dit aussi gigantesque.

📖 Le contraire d'énorme, c'est minuscule.

s'enrhumer

S'enrhumer, c'est attraper un rhume : *Fabrice s'est enrhumé, il a le nez qui coule.*

ensuite

Ensuite, c'est plus tard : *le matin, je me lave et ensuite je m'habille.*

🔆 On dit aussi après.

📖 Le contraire d'ensuite, c'est d'abord ou avant.

entendre

❶ On entend les bruits, les paroles, les sons avec ses oreilles : *on peut entendre le bruit de la mer dans certains coquillages.*

❷ S'entendre bien, c'est être contents d'être ensemble, c'est être amis : *Flore et Nicolas s'entendent bien.*

entourer

❶ Entourer, **c'est être autour :** *une grille entoure le parc.*

❷ Entourer, **c'est mettre quelque chose autour :** *Étienne entoure les triangles sur son cahier.*

entrer

Entrer, **c'est aller à l'intérieur :** *il pleut ! entrons vite dans la maison.*

▣ Le contraire d'entrer, c'est sortir.

> *L'endroit par où l'on entre, c'est l'entrée.*

une enveloppe

Une enveloppe, **c'est une pochette en papier faite pour mettre une lettre et l'envoyer :** *on écrit l'adresse et on colle un timbre sur l'enveloppe.*

l'envers

L'envers, **c'est le côté de quelque chose qu'on ne doit pas voir, c'est le mauvais côté :** *Thomas a mis sa chaussette à l'envers.*

▣ Le contraire de l'envers, c'est l'endroit.

s'envoler

S'envoler, **c'est partir dans le ciel en volant :** *les pigeons se sont envolés dès qu'ils ont vu Pierre arriver.*

▣ Le contraire de s'envoler, c'est se poser.

> *Un petit bonhomme*
> *Assis sur une pomme*
> *La pomme dégringole*
> *Le petit bonhomme s'envole...*

envoyer

❶ Envoyer un objet, c'est le lancer : *le footballeur envoie le ballon dans le but.*

❷ Envoyer une lettre, c'est la mettre à la poste pour que quelqu'un la reçoive : *mamie a envoyé une lettre à Alexis pour son anniversaire.*

⧉ Le contraire d'envoyer, c'est recevoir.

épais, épaisse

Ce qui est épais est très gros : *les murs d'un château fort sont épais.*

⧉ Le contraire d'épais, c'est mince ou fin.

une épée

Une épée, c'est une

arme. Elle a une lame longue et pointue et une poignée : *autrefois, les chevaliers se battaient à l'épée.*

un épi

Un épi, c'est le bout de la tige d'une céréale où se trouvent les grains : *le blé et le maïs forment des épis.*

une épine

Une épine est une petite pointe piquante qui pousse sur la tige de certaines plantes : *sur les tiges des ronces, il y a des épines.*

éplucher

Éplucher, c'est enlever la peau d'un fruit ou d'un légume : *le singe épluche une banane.*

Les morceaux qu'on a enlevés en épluchant sont les épluchures.

127

une éponge

Une éponge, c'est un objet mou qui retient l'eau. Elle sert à nettoyer : *on nettoie la table avec une éponge après les repas.*

l'équilibre

Garder l'équilibre, c'est réussir à ne pas tomber : *le funambule arrive à garder l'équilibre sur un fil.*

un escalier

Un escalier sert à monter ou à descendre à pied des étages. Il a un nombre de marches plus ou moins grand : *le long d'un escalier, il y a souvent une rampe pour se tenir.*

un escargot

Un escargot est un petit animal au corps mou avec une coquille sur le dos. Il a quatre cornes pour toucher et pour voir : *les escargots avancent très lentement en rampant.*

espérer

Espérer, c'est avoir envie que quelque chose arrive : *j'espère qu'il y aura de la neige à Noël.*

Quand on espère, on a de l'espoir.

essayer

❶ Essayer, c'est faire un effort pour réussir quelque chose : *mon petit frère essaie de marcher tout seul.*

❷ Essayer un vêtement, c'est le mettre sur soi pour voir s'il va bien : *Maxime essaie un pull mais il est trop grand pour lui.*

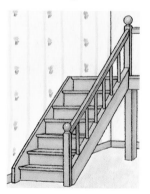

l'essence

L'essence est un liquide qu'on met dans le réservoir d'une voiture pour la faire avancer : *on achète l'essence dans une station-service.*

essuyer

Essuyer, c'est frotter pour enlever de l'eau ou de la poussière : *Hélène et Léo essuient la vaisselle avec un torchon.*

un étage

Les étages d'un immeuble, ce sont les différents niveaux, placés les uns au-dessus des autres : *cet immeuble a trois étages : il y a un balcon au premier.*

une étagère

Une étagère, c'est une planche sur un mur, dans un placard ou une bibliothèque. Elle sert à poser des objets : *papi monte des étagères pour ranger les livres d'Agathe.*

l'été

L'été est la saison qui vient après le printemps et avant l'automne. C'est la saison la plus chaude de l'année : *en été, je passe les vacances à la campagne.*

éteindre

❶ Éteindre un feu, c'est l'arrêter, faire en sorte qu'il ne brûle plus : *les pompiers éteignent l'incendie.*

❷ Éteindre une lampe, c'est appuyer sur le bouton pour que la lampe n'éclaire plus : *Amélie éteint avant de s'endormir.*

⊟ Le contraire d'éteindre, c'est allumer.

éternuer

Éternuer, c'est rejeter d'un seul coup de l'air par le nez et par la bouche, sans pouvoir s'en empêcher : *quand on éternue, ça fait du bruit !*

une étiquette

Une étiquette, c'est un petit morceau de papier collé sur un objet. Elle sert à donner une information : *on écrit son nom sur l'étiquette de ses cahiers.*

une étoile

Les étoiles sont des astres qui brillent la nuit dans le ciel. On les voit quand il n'y a pas de nuages : *les étoiles ont l'air toutes petites parce qu'elles sont très loin de nous.*

Un ciel couvert d'étoiles est étoilé.

étonner

Étonner, c'est provoquer de la surprise : *ça étonne grand-père que je sache déjà nager.*

On dit aussi surprendre.

étourdi, étourdie

Être étourdi, c'est ne pas faire attention à ce qu'on fait : *Joséphine est vraiment étourdie, elle a oublié de mettre ses chaussures pour sortir !*

On dit aussi distrait.

être

1 Être s'emploie pour décrire quelqu'un ou quelque chose : *Alice est une grande fille très gentille. Le gâteau est bon.*

2 Être quelque part, c'est s'y trouver : *Manon et Pierre sont à la plage.*

3 Être à quelqu'un, c'est lui appartenir : *ce jouet est à moi.*

étroit, étroite

Ce qui est étroit est resserré, n'est pas large : *le pont est très étroit, les voitures y passent une par une.*

l'euro

L'euro, c'est l'argent des pays d'Europe : *il y a des pièces et des billets en euros.*

s'excuser

S'excuser, c'est demander pardon : *Tom s'excuse parce qu'il a bousculé la dame avec sa trottinette.*

Pardon, Madame.

un exemple

Un exemple, c'est un modèle qui aide à faire comprendre ce qu'on explique : *dans ce dictionnaire, chaque explication d'un mot est suivie d'un exemple.*

un exercice

Un exercice, c'est ce qu'on fait pour s'entraîner : *Camille fait des exercices de gymnastique.*

exister

Exister, c'est être réel, c'est être en vie pour de vrai : *Lola se demande parfois si les fées existent.*

expliquer

Expliquer, c'est chercher à faire comprendre quelque chose à quelqu'un : *Vanessa explique à son ami à quoi sert une boussole et comment elle fonctionne.*

Quand on explique quelque chose, on donne une explication.

l'extérieur

Ce qui est à l'extérieur est au-dehors : *quand il fait beau, nous déjeunons à l'extérieur.*

⊡ Le contraire de l'extérieur, c'est l'intérieur.

extraordinaire

Une chose extraordinaire, c'est une chose qu'on n'a pas l'habitude de voir et qui étonne : *Mathilde sait déjà lire à quatre ans : c'est extraordinaire !*

how do you do?

☀ On dit aussi étonnant.

⊡ Le contraire d'extraordinaire, c'est ordinaire ou banal.

C'est un jardin extraordinaire ! Il y a des canards qui parlent anglais...

un extraterrestre

Un extraterrestre, c'est quelqu'un qui vit sur une autre planète que la Terre : *Pierre raconte à ses amis qu'il a vu des extraterrestres.*

F f F f

de face

un faon

fondre

ne fée

un fantôme

des feuilles

se faner

ne fraise

une fille

un fils

une fourmi

fabriquer

Fabriquer un objet, c'est le faire en utilisant plusieurs choses différentes : *on fabrique les voitures dans des usines.*

une face

❶ Une face, c'est chacun des côtés d'un objet : *un dé a six faces.*

❷ Quand une personne est de face, elle nous montre son visage : *sur le dessin, Léa est de face.*

🔲 Le contraire d'être de face, c'est être de dos.

se fâcher

Se fâcher, c'est se mettre en colère : *la maman de Sébastien se fâche parce qu'il joue avec un briquet.*

facile

Une chose est facile quand on peut la réussir sans faire beaucoup d'efforts : *c'est facile de rattraper une balle sans la faire tomber.*

💡 On dit aussi simple.

🔲 Le contraire de facile, c'est difficile.

Une chose facile se fait facilement.

un facteur, une factrice

Un facteur et une factrice sont les personnes qui apportent le courrier chez les gens. Ils travaillent pour la poste : *le facteur va déposer des lettres dans la boîte aux lettres.*

faible

Être faible, c'est manquer de forces : *le malade va mieux, mais il se sent encore un peu faible.*

📖 Le contraire de faible, c'est fort.

la faim

❶ Avoir faim, c'est avoir envie de manger : *Camille a faim quand elle rentre de l'école.*

❷ On dit : « j'ai une faim de loup » quand on a une très grande faim.

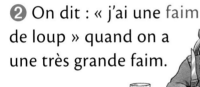

L'ogre a mangé tonton,
Deux énormes moutons,
Trois mètres de boudin
Et il a toujours faim !

faire

❶ Faire, c'est fabriquer : *les pâtissiers savent faire des gâteaux.*

❷ Faire, c'est être occupé à quelque chose : *Franck sait toujours quoi faire le mercredi.*

❸ Faire une promenade, c'est se promener : *mamie aime bien faire une promenade le matin.*

une famille

Dans une famille, il y a les parents, les enfants, les grands-parents, et aussi les oncles, les tantes et les cousins : *la famille s'est réunie pour regarder les photos.*

se faner

Une fleur se fane quand elle devient sèche et perd ses couleurs et ses pétales : *les anémones se fanent vite.*

un fantôme

On dit qu'un fantôme est un mort qui revient sur terre. Il est invisible et il peut traverser les murs. Il y a souvent des fantômes dans les histoires qui font peur : *Paul raconte qu'il a vu un fantôme dans le château.*

un faon

Le **faon** est le petit de la biche et du cerf : *« Bambi » est un film qui raconte l'histoire d'un faon.*

une farce

Une **farce** est une plaisanterie qu'on fait à quelqu'un pour s'amuser : *papi fait une farce à Fanny : il lui accroche un poisson dans le dos.*

☀ On dit aussi un tour.

Un farceur, une farceuse aiment bien faire des farces.

fatigué, fatiguée

Être **fatigué**, c'est avoir besoin de se reposer parce qu'on n'a plus de forces : *après sa journée d'école, Charlotte est très fatiguée.*

▢ Le contraire de fatigué, c'est reposé.

On est fatigué quand on a fait quelque chose de fatigant.

un fauteuil

Un **fauteuil** est une sorte de chaise très confortable avec deux parties, qu'on appelle « les accoudoirs », pour poser les bras : *j'aime bien m'asseoir dans un fauteuil pour regarder un livre.*

faux, fausse

Quelque chose est **faux** quand ce n'est pas la vérité : *tu dis que j'ai cassé ta poupée, mais c'est faux !*

▢ Le contraire de faux, c'est vrai.

une fée

Une **fée** est un personnage imaginaire féminin qui peut faire des choses extraordinaires avec sa baguette magique. Il y a souvent des fées dans les contes : *dans l'histoire de Cendrillon, la fée transforme d'un coup de baguette une citrouille en carrosse.*

une femelle

Une femelle est un animal qui peut avoir des petits. Elle les porte dans son ventre ou elle pond des œufs : *la chatte est la femelle du chat ; la poule est la femelle du coq.*

Un animal qui fait des petits avec une femelle est un mâle.

une femme

❶ Une femme est une grande personne de sexe féminin : *les petites filles deviennent plus tard des femmes.* ☼ On dit aussi une dame.

Une grande personne de sexe masculin, c'est un homme.

❷ La femme d'un homme est la personne qui est mariée avec lui : *ma tante est la femme de mon oncle.*

L'homme qui est marié avec une femme est son mari.

une ferme

Une ferme, c'est une grande maison à la campagne, où l'on élève des animaux. Elle a une cour et elle est entourée de champs : *dans cette ferme, on élève des poules et des cochons.*

👁 Va voir « la ferme », p. 314.

Les habitants de la ferme sont le fermier et la fermière.

fermer

❶ Quand on ferme une porte, on ne peut plus entrer ni sortir : *papi ferme la porte du garage.*

❷ Fermer un robinet, c'est le tourner pour empêcher l'eau de couler : *j'ai bien fermé le robinet.*

🗔 Le contraire de fermer, c'est ouvrir.

une fête

❶ Faire une fête, c'est inviter des amis pour que tout le monde s'amuse : *Laure fait une fête pour son anniversaire.*

❷ La fête des Mères, c'est le jour de l'année où l'on fête toutes les mamans : *pour la fête des Mères, Pierre offre des fleurs.*

le feu

❶ Pour faire du feu, on fait brûler du papier ou du bois : *le feu est dangereux, car il fait des flammes qui brûlent.*

❷ Les feux sont les lumières vertes, orange et rouges qui sont de chaque côté d'une rue. Ils servent à régler la circulation : *quand le feu est au rouge, les voitures doivent s'arrêter, les piétons peuvent traverser.*

un feu d'artifice

Un feu d'artifice, ce sont des petites fusées lumineuses de toutes les couleurs qu'on envoie dans le ciel, les soirs de fête : *en France, on fait des feux d'artifice pour le 14 Juillet.*

une feuille

❶ Une feuille, c'est la partie d'une plante, le plus souvent verte et plate, qui pousse sur la tige : *en automne, de nombreux arbres perdent leurs feuilles.*

❷ Une feuille de papier est un morceau de papier qui sert à écrire ou à dessiner : *Inès a écrit son nom sur une feuille.*

une ficelle

Une ficelle, c'est une corde très mince. Elle est faite de plusieurs fils tordus ensemble : *on attache un paquet avec une ficelle.*

la figure

La figure est le devant de la tête : *Marie a des taches de rousseur sur la figure.*

💡On dit aussi le visage.

un fil

❶ Un fil est un long brin de coton, de Nylon ou de soie : *on coud avec du fil et une aiguille.*

❷ Un fil électrique est un morceau de métal long et très mince entouré de plastique. Il sert à faire arriver l'électricité dans une lampe ou dans une machine : *ne joue pas avec le fil électrique, c'est dangereux !*

une fille

❶ Une fille est un enfant de sexe féminin qui deviendra une femme :
Éva est une fille.

Un enfant qui deviendra un homme, c'est un garçon.

❷ La fille d'une personne, c'est son enfant qui est une fille : *nos voisins ont deux filles.*

L'enfant garçon d'une personne, c'est son fils.

Sire le Roi,
Donnez-moi votre fille,
Et ri et ran, ran-pa-ta-plan,
Donnez-moi votre fille.

un film

Un film est une histoire en images qu'on regarde sur un écran de cinéma ou à la télévision :
nous regardons un film sur les animaux.

un fils

Le fils d'une personne, c'est son enfant qui est un garçon : *notre voisine a un fils.*

L'enfant fille d'une personne, c'est sa fille.

finir

Finir quelque chose, c'est le faire jusqu'au bout : *quand j'ai fini de me laver, je m'habille.*
☼ On dit aussi terminer.
▦ Le contraire de finir, c'est commencer.

Le moment où quelque chose finit, c'est la fin.

une flamme

Une flamme se dégage de quelque chose qui brûle. Elle fait de la lumière et de la chaleur, et elle a de jolies couleurs : *quand on frotte une allumette, une flamme apparaît.*

une flèche

❶ Une flèche est une longue tige de bois ou de plastique pointue à un bout : *on tire des flèches avec un arc.*

Une petite flèche est une fléchette.

❷ Une flèche est un dessin qui indique dans quel sens il faut aller : *pour trouver la sortie du magasin, suivez les flèches !*

une fleur

Une fleur, c'est la partie d'une plante qui a des pétales : *certaines fleurs sentent très bon.*

Quand les fleurs s'ouvrent, elles fleurissent. On achète des fleurs chez un ou une fleuriste.

👁 Va voir « les fleurs », p. 300.

un flocon

Un flocon de neige est un petit morceau de neige, très léger : *la neige tombe du ciel en flocons.*

flotter

Flotter, c'est rester à la surface de l'eau : *le bouchon, le bateau et le morceau de bois flottent.*

Le contraire de flotter, c'est couler.

foncé, foncée

Une couleur foncée est plus près du noir que du blanc : *Julia a une jupe bleu foncé.*

On dit aussi sombre.

Le contraire de foncé, c'est clair.

le fond

❶ Le fond est la partie la plus basse de quelque chose : *il reste du jus d'orange dans le fond du verre.*

❷ Le fond est la partie la plus éloignée de l'entrée : *la salle de bains est au fond du couloir.*

fondre

❶ Fondre, c'est devenir liquide : *la glace d'Alexandre fond au soleil.*

❷ Fondre, c'est se mélanger à un liquide et devenir invisible : *le sucre fond dans l'eau.*

une fontaine

Une fontaine est une petite construction avec un bassin où coule de l'eau : *il y a une fontaine sur la place du village.*

À la claire fontaine
M'en allant promener,
J'ai trouvé l'eau si belle
Que je m'y suis baignée...

une forêt

Une forêt est un endroit où un grand nombre d'arbres poussent les uns à côté des autres. C'est un grand bois : *les écureuils, les sangliers, les cerfs vivent dans la forêt.*

Va voir « la forêt », page 316.

une forme

❶ La forme, c'est le contour, le dessin de quelque chose : *parfois les nuages ont de drôles de formes.*

❷ Le carré, le cercle, le triangle et le rectangle sont des formes géométriques : *j'ai dessiné des formes sur mon cahier.*

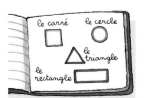

❸ Être en forme, c'est être en bonne santé et avoir des forces : *pour être en forme, il faut se coucher tôt et bien se nourrir.*

fort, forte

❶ Être fort, c'est avoir de bons muscles et pouvoir porter des choses lourdes : *il faut être vraiment fort pour soulever ces haltères !*

Quand on est fort, on a de la force.

❷ Un son fort, c'est un son qu'on entend de loin : *baisse un peu la télé, le son est trop fort !*

▢ Le contraire de fort, c'est faible.

fou, folle

❶ Être fou, être folle, c'est ne pas savoir ce qu'on fait ni ce qu'on dit : *j'ai vu un monsieur qui parlait tout seul, il avait l'air un peu fou.*

❷ On dit : « je suis fou de joie » quand on est très joyeux.

une foule

Une foule, c'est un grand nombre de personnes qui sont ensemble au même endroit : *Paul tient sa mère par la main pour ne pas se perdre dans la foule.*

une fourchette

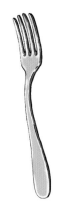

Une fourchette est un objet fait d'un manche et de plusieurs pointes. Elle sert à piquer les aliments : *on utilise une fourchette pour manger.*

une fourmi

❶ Une fourmi est un tout petit insecte noir ou rouge qui vit en groupes : *les fourmis passent leur temps à travailler.*

> *Les fourmis vivent dans une fourmilière.*

❷ On dit : « j'ai des fourmis dans les jambes » quand on a l'impression que les jambes piquent à l'intérieur.

> *Une fourmi de dix-huit mètres*
> *Avec un chapeau sur la tête,*
> *Ça n'existe pas, ça n'existe pas...*

fragile

Un objet fragile se casse ou s'abîme facilement : *les verres sont fragiles.*
🔲 Le contraire de fragile, c'est solide.

frais, fraîche

❶ Ce qui est frais est un peu froid : *Léo a chaud, il boit de l'eau fraîche.*
❷ Ce qui est frais vient d'être fabriqué, cueilli ou pêché : *maman achète du poisson frais sur le marché.*

une fraise

Une fraise est un petit fruit rouge et sucré : *on mange des fraises en été.*

> *Les fraises poussent sur des fraisiers.*

frapper

❶ Frapper quelqu'un, c'est lui donner des coups : *notre voisin est méchant, il a frappé son chien.*
💡 On dit aussi battre ou taper.
❷ Frapper à la porte, c'est donner des petits coups sur la porte pour demander à entrer :
Lola frappe à la porte de la chambre de son frère.

un frère

Un frère, c'est un garçon qui a les mêmes parents qu'un autre enfant : *Nicolas est le frère de Chloé.*

> *Chloé est la sœur de Nicolas.*

froid, froide

❶ Ce qui est froid a une température basse : *l'eau qui sort du réfrigérateur est froide.*

⊞ Le contraire de froid, c'est chaud.

❷ On dit : « il fait froid » quand la température est basse, quand le temps est froid : *il faut bien se couvrir quand il fait froid.*

un fromage

Le fromage est un aliment fait avec du lait de vache, de brebis ou de chèvre : *le camembert, le gruyère, le roquefort sont des fromages.*

frotter

Frotter, c'est passer plusieurs fois une chose sur une autre chose en appuyant : *Gaëlle frotte sa figure avec un gant de toilette.*

un fruit

Un fruit, c'est un aliment, sucré le plus souvent, qui pousse sur un arbre ou sur une plante. Il peut contenir des pépins ou un noyau : *les poires et les prunes sont des fruits.*

👁 Va voir « les fruits », p. 302.

la fumée

La fumée, c'est une sorte de nuage gris ou blanc qui sort d'un feu ou d'une cigarette : *en hiver, on peut voir de la fumée sortir des cheminées.*

une fusée

Une fusée est une machine de forme allongée qui permet de voyager très loin dans le ciel. Elle va plus vite qu'un avion : *les astronautes vont sur la Lune dans une fusée.*

Gg G g

e gratter

une girafe

une grimace

une guêpe

ne grappe

un gâteau

une grenouille

n grenier

glisser

gagner

Gagner, c'est être le meilleur, le plus fort : *Julien et Aziz ont gagné la partie de dominos.*

⊞ Le contraire de gagner, c'est perdre.

Une personne qui gagne est un gagnant ou une gagnante.

gai, gaie

Être gai, c'est être toujours de bonne humeur et aimer rire : *Léa est une fille très gaie.*

☼ On dit aussi joyeux.

⊞ Le contraire de gai, c'est triste.

une galette

Une galette est un gâteau rond et plat, à la croûte dorée : *il y a une fève dans la galette des Rois.*

un garage

❶ Un garage est un endroit couvert et fermé pour mettre les voitures à l'abri : *le matin, maman sort la voiture du garage.*

❷ Un garage est un endroit où l'on répare les voitures : *papa a conduit la voiture au garage parce qu'elle démarrait mal.*

Une personne qui travaille dans un garage est un ou une garagiste.

un garçon

Un garçon est un enfant de sexe masculin qui deviendra un homme : *Axel est un petit garçon de cinq ans.*

Un enfant de sexe féminin, c'est une fille.

garder

❶ Garder, c'est surveiller pour protéger : *quand nous ne sommes pas là, le chien garde la maison.*

Une personne qui garde un endroit est un gardien ou une gardienne.

❷ Garder un objet, c'est ne pas s'en séparer : *mamie a gardé tous ses jouets d'enfant.*

☀ On dit aussi conserver.

⧉ Le contraire de garder, c'est jeter.

une gare

Une gare, c'est l'endroit d'où partent les trains et là où ils s'arrêtent : *nous prenons le train à la gare.*

un gâteau

Un gâteau est un dessert fait avec de la farine, des œufs, du sucre et du beurre. Il est souvent cuit au four dans un moule : *maman a fait un gâteau au chocolat.*

gauche

La main gauche est la main qui est du côté où notre cœur bat : *papa écrit de la main gauche.*

⧉ Le contraire de la main gauche, c'est la main droite.

Quand on écrit de la main gauche, on est gaucher.

A B C D E F **G** H I J K L M N O P Q R S T U V W X Y Z

un géant, une géante

Un géant et une géante sont des personnes d'une taille extrêmement grande. Il y a parfois des géants dans les histoires : *un géant peut enjamber des montagnes.*

📖 Le contraire d'un géant, c'est un nain.

geler

❶ Geler, c'est se transformer en glace : *dans les pays froids, l'eau des lacs gèle en hiver.*

📖 Le contraire de geler, c'est dégeler.

❷ On dit : « je gèle » quand on a très froid.

gentil, gentille

Être gentil, c'est aimer faire plaisir aux autres : *ma sœur est très gentille, elle me prête souvent ses jouets.*

📖 Le contraire de gentil, c'est méchant.

La qualité d'une personne gentille est la gentillesse.

un geste

Un geste, c'est un mouvement qu'on fait avec les bras, les mains ou la tête : *Clara fait de grands gestes pour dire au revoir.*

une girafe

Une girafe est un animal très grand qui vit en Afrique. Elle a des pattes et un cou très longs : *dans la savane, les girafes mangent les feuilles des arbres.*

Le petit de la girafe est le girafon.

une glace

❶ Une glace est une plaque de verre spéciale, où l'on peut voir son image : *maman se maquille devant une glace.*

☀ On dit aussi un miroir.

❷ La glace, c'est de l'eau qui est devenue très dure à cause du froid : *on fait du patin sur la glace.*

Une eau froide comme de la glace est glacée.

❸ Une glace est une crème sucrée très froide : *j'adore les glaces aux fruits.*

glisser

❶ Glisser, c'est avancer vite sur une surface unie et douce : *nous glissons sur le toboggan.*

❷ Glisser, c'est perdre l'équilibre : *Camille a glissé sur le parquet ciré.*

On risque de glisser sur une chose glissante.

une gomme

Une gomme est un objet qui sert à effacer les traits de crayon : *Éva efface une partie de son dessin avec sa gomme.*

Une gomme sert à gommer.

gonfler

❶ Gonfler, c'est remplir d'air : *Marin gonfle son ballon en soufflant dedans.*

▦ Le contraire de gonfler, c'est dégonfler.

❷ Gonfler, c'est devenir plus gros : *Julien est tombé et son poignet s'est mis à gonfler.*

☀ On dit aussi enfler.

la gorge

La gorge, c'est le fond de la bouche. Les aliments qu'on avale passent par la gorge : *quand on est enrhumé, on a souvent mal à la gorge.*

gourmand, gourmande

Être gourmand, c'est aimer manger beaucoup de bonnes choses : *Hugo est gourmand, il a mangé tous les chocolats !*

Une personne gourmande mange par gourmandise.

un goût

❶ Le goût d'un aliment, c'est ce qu'on sent dans la bouche quand on le mange : *Antoine n'aime pas le goût des épinards.*
❷ Avoir les mêmes goûts, c'est aimer les mêmes choses : *deux amis ont souvent les mêmes goûts.*

le goûter

Le goûter, c'est le petit repas qu'on prend dans l'après-midi : *pour mon goûter, je prends un verre de lait avec un petit pain et du chocolat.*

Quand on prend son goûter, on goûte.

une goutte

Une goutte, c'est une toute petite boule de liquide : *il commence à pleuvoir, j'ai reçu quelques gouttes.*

Une petite goutte est une gouttelette.

*Goutte, gouttelette de pluie
Mon chapeau se mouille.
Goutte, gouttelette de pluie
Mes souliers aussi...*

un grain

❶ Un grain, c'est le fruit de certaines plantes : *le riz et le blé donnent des grains.*
❷ Un grain de sable est un minuscule morceau de sable : *un grain de sable dans l'œil, ça fait pleurer.*

une graine

La graine est la partie d'une plante qui donne une nouvelle plante quand on la met dans la terre : *hier, papi a semé des graines de marguerites dans le jardin.*

grand, grande

❶ Être grand, c'est avoir une taille haute : *Alex est plus grand qu'Élodie.*

Devenir plus grand, c'est grandir.

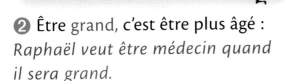

❷ Être grand, c'est être plus âgé : *Raphaël veut être médecin quand il sera grand.*

❸ Ce qui est grand occupe beaucoup de place : *mamie a un grand appartement.*

⊡ Le contraire de grand, c'est petit.

une grappe

Une grappe, ce sont des fruits ou des fleurs qui poussent ensemble sur une même tige : *on cueille les grappes de raisin à l'automne.*

se gratter

Se gratter, c'est frotter une partie de son corps avec ses ongles, ou avec ses griffes quand on est un animal : *Mathieu se gratte la tête parce qu'il a des poux.*

grave

❶ Un accident grave, une maladie grave risquent de provoquer la mort : *l'année dernière, Paul a eu un grave accident de voiture.*

❷ Ce qui est grave est important, sérieux : *Charlotte a oublié sa trousse à l'école, mais ce n'est pas très grave.*

❸ Une voix grave a un son bas : *les grandes personnes ont la voix plus grave que les enfants.*

⊡ Le contraire de grave, c'est aigu.

un grenier

Le grenier est la partie d'une maison qui se trouve juste sous le toit : *Anaëlle a trouvé de vieux jouets dans le grenier.*

une grenouille

Une grenouille est un petit animal vert ou roux qui vit près des mares. Avec ses pattes arrière longues et musclées, elle nage et saute très bien : *la grenouille pond des œufs, d'où naissent des têtards.*

Il pleut, il mouille,
C'est la fête à la grenouille
Il pleut, il fait beau,
C'est la fête à l'escargot...

griffer

Griffer, c'est donner un coup de griffe ou un coup d'ongle : *le chat a griffé Antoine à la main.*

grignoter

Grignoter, c'est manger à petits coups de dents : *la souris est en train de grignoter un morceau de fromage.*

– Sniff... Sniff...
Ça sent le fromage.
Miss Souris,
Qu'avez-vous grignoté ?

une grimace

Faire une grimace, c'est tordre son visage dans tous les sens : *Amélie fait des grimaces pour nous faire rire.*

grimper

Grimper, c'est monter en s'accrochant avec les pieds et les mains : *le singe grimpe dans l'arbre.*

gronder

Gronder un enfant, c'est lui faire des reproches parce qu'on n'est pas content de lui : *papa gronde mon petit frère parce qu'il a gribouillé sur la porte.*

⊡ Le contraire de gronder, c'est féliciter.

gros, grosse

❶ Être gros, c'est peser lourd : *le chat de Joséphine est vraiment gros.*

⊡ Le contraire de gros, c'est maigre.

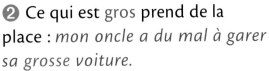

Devenir plus gros, c'est grossir.

❷ Ce qui est gros prend de la place : *mon oncle a du mal à garer sa grosse voiture.*

⊡ Le contraire de gros, c'est petit.

❸ Un gros mot, c'est un mot qui n'est pas poli : *on dit parfois des gros mots quand on est en colère.*

une grotte

Une grotte, c'est un grand trou dans un rocher ou dans le sol : *les premiers hommes habitaient dans des grottes.*

une grue

Une grue, c'est une machine très haute qui sert à soulever et à déplacer des objets lourds : *sur un chantier de construction, il y a souvent une grue pour déplacer les blocs de pierre ou de béton.*

une guêpe

Une guêpe est un insecte jaune et noir qui vole et peut piquer avec son dard. Elle ressemble à l'abeille, mais elle ne fait pas de miel : *les guêpes vivent en groupe dans un nid.*

guérir

Guérir, c'est ne plus être malade, c'est aller mieux : *avec du repos et des médicaments, Valentine va vite guérir.*

une guerre

Une guerre a lieu quand des pays ou des peuples se battent les uns contre les autres : *pour mettre fin à la guerre, il faut faire la paix.*

une guirlande

Une guirlande est une longue bande de papier finement découpée qui sert à décorer : *pour la fête, on met des guirlandes dans la classe.*

une guitare

Une guitare est un instrument de musique avec des cordes : *on pince les cordes de la guitare pour faire des sons.*

Une personne qui joue de la guitare est un ou une guitariste.

H h *H h*

une heure

un hérisson

une hirondelle

l'hiver

un hibou

s'habiller

un hamster

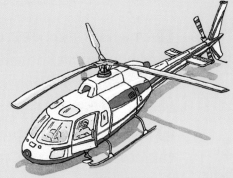

un hélicoptère

s'habiller

S'habiller, c'est mettre ses vêtements, ses habits : *Laura est assez grande pour s'habiller toute seule.*

Le contraire de s'habiller, c'est se déshabiller.

habiter

Habiter, c'est vivre dans un endroit : *Pierre habite à la campagne.*

une habitude

❶ Une habitude, c'est quelque chose qu'on fait souvent et depuis longtemps : *Valentine a l'habitude de se coucher tôt.*

❷ D'habitude, c'est presque toujours : *d'habitude, je goûte à quatre heures.*

un hamster

Un hamster est un petit animal aux poils roux et blancs qui ronge ses aliments : *le hamster vit dans les champs, mais on peut aussi l'élever en cage chez soi.*

un handicapé, une handicapée

Un handicapé et une handicapée sont des personnes dont le corps ou le cerveau ne fonctionne pas bien : *certains handicapés se déplacent dans un fauteuil roulant.*

haut, haute

❶ Quelque chose de haut est très grand et monte loin vers le plafond ou vers le ciel : *certaines montagnes sont si hautes que leur sommet est caché par les nuages.*

Le contraire de haut, c'est bas.

❷ En haut, c'est dans la partie haute : *les couvertures sont rangées en haut de l'armoire.*

Le contraire d'en haut, c'est en bas.

un hélicoptère

Un hélicoptère est une sorte d'avion sans ailes. Il a une grande hélice sur le toit qui lui permet de voler : *pour décoller, un hélicoptère monte tout droit dans le ciel.*

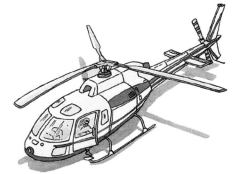

l'herbe

L'herbe, c'est une plante qui a des feuilles vertes longues et minces. Elle pousse dans les prés et les jardins : *les vaches broutent l'herbe dans les prés.*

un hérisson

Un hérisson est un petit animal qui a un museau pointu et le corps recouvert de piquants : *le hérisson se met en boule quand il a peur.*

une heure

❶ Les heures servent à mesurer le temps. Dans une journée, il y a vingt-quatre heures : *il est huit heures et quart, c'est l'heure de partir à l'école !*

❷ De bonne heure, c'est tôt : *le soir, Chloé se couche de bonne heure.*
⊞ Le contraire, c'est tard.

heureux, heureuse

❶ Être heureux, c'est être très content : *Léo est très heureux de retrouver ses amis.*
⊞ Le contraire d'heureux, c'est malheureux.
❷ On dit : « je suis heureux comme un poisson dans l'eau » quand on est très heureux.

un hibou

Un hibou est un oiseau qui vit la nuit. Il ressemble à une chouette, mais il a des petites plumes dressées de chaque côté de la tête : *les hiboux mangent des souris.*

hier

Hier, c'est le jour avant aujourd'hui : *nous sommes mardi, donc hier c'était lundi.*

▥ Le contraire d'hier, c'est demain.

une hirondelle

Une hirondelle est un oiseau qui a le dos noir, le ventre blanc et des ailes très fines : *une hirondelle a fait son nid sous le bord du toit.*

Le petit de l'hirondelle est l'hirondeau.

Qu'est-ce qu'elle a donc fait
La p'tite hirondelle,
Elle nous a volé
Trois p'tits grains de blé...

une histoire

Une histoire raconte une chose qui s'est vraiment passée ou qui a été inventée : *grand-père m'a lu l'histoire des « Trois Petits Cochons ».*

l'hiver

L'hiver est la saison qui vient après l'automne et avant le printemps : *l'hiver est la saison la plus froide de l'année.*

un homme

Un homme est une grande personne de sexe masculin : *les petits garçons deviennent plus tard des hommes.*

☼ On dit aussi un monsieur.

Une grande personne de sexe féminin, c'est une femme.

I i 𝒯 i

un igloo

imiter

des instruments

n insecte

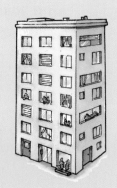

un immeuble

une infirmière

des indiens

un igloo

Un **igloo** est une petite maison arrondie faite avec des blocs de neige dure : *les Esquimaux construisent parfois des igloos pour s'abriter.*

une île

Une **île**, c'est une partie de terre complètement entourée d'eau : *pour aller sur une île, il faut prendre un bateau ou un avion.*

une image

Une **image**, c'est un dessin ou une photo : *Marie a un livre avec de belles images.*
☀ On dit aussi une illustration.

imaginer

❶ **Imaginer** quelque chose, c'est le voir dans sa tête comme si c'était réel : *ferme les yeux et imagine que tu es sur une plage !*

Ce qu'on imagine est imaginaire.

❷ **Imaginer**, c'est inventer quelque chose : *Thomas a imaginé un nouveau jeu pour ses amis.*

imiter

Imiter quelqu'un, c'est faire la même chose que lui : *Julie imite sa grande sœur en se coiffant comme elle.*

immense

Ce qui est immense est vraiment très grand : *la Terre est immense*.
▣ Le contraire d'immense, c'est minuscule.

un immeuble

Un immeuble, c'est un grand bâtiment avec des appartements ou des bureaux sur plusieurs étages : *Axel habite dans un immeuble de six étages.*

immobile

Être immobile, c'est ne pas bouger : *le photographe nous demande de rester immobiles pour prendre la photo.*

impatient, impatiente

Une personne impatiente n'aime pas attendre : *Hugo est impatient d'ouvrir ses cadeaux d'anniversaire !*
▣ Le contraire d'impatient, c'est patient.

impossible

Ce qui est impossible ne peut pas se faire : *il est impossible de voler comme un oiseau.*
▣ Le contraire d'impossible, c'est possible.

un incendie

Un incendie, c'est un grand feu qui s'étend et qui fait des dégâts importants, dans une maison ou une forêt : *les pompiers essaient d'éteindre l'incendie.*

A B C D E F G H I J K L M N O P Q R S T U V W X Y Z

un Indien, une Indienne

Les Indiens et les Indiennes étaient les premiers habitants de l'Amérique : *les Indiens vivaient en groupes appelés « tribus ».*

un infirmier, une infirmière

Un infirmier et une infirmière sont des personnes qui aident les médecins à soigner les malades : *à l'hôpital, les infirmières changent les pansements et font des piqûres.*

L'infirmière de l'école travaille à l'infirmerie.

une inondation

Une inondation se produit quand il pleut énormément et que l'eau des rivières déborde : *l'eau rentre parfois dans les maisons lors d'une inondation.*

inquiet, inquiète

Être inquiet, c'est avoir peur qu'il arrive quelque chose de grave, c'est se faire du souci : *maman est inquiète quand bébé est malade.*

un insecte

Un insecte est un petit animal qui a six pattes. Il a souvent des ailes pour voler et des antennes pour sentir et toucher : *les abeilles, les mouches, les fourmis, les coccinelles sont des insectes.*

👁 Va voir « les insectes », p. 297.

162

installer

Installer, c'est mettre quelque chose en place et le faire marcher : *papa installe un lecteur DVD dans le salon.*

un instrument

❶ Un instrument, c'est un objet qu'on utilise pour faire une chose particulière : *un thermomètre est un instrument qui sert à mesurer la température.*

❷ Un instrument de musique, c'est un objet qui sert à faire de la musique : *un tambourin, un violon, une trompette, une flûte sont des instruments de musique.*

intelligent, intelligente

Être intelligent, c'est comprendre vite et apprendre facilement :
Tom est intelligent, il a vite appris à se servir d'un ordinateur.
▱ Le contraire d'intelligent, c'est bête ou sot.

interdire

Interdire quelque chose, c'est dire qu'il ne faut pas le faire : *papa m'interdit de traverser la rue tout seul.*
☼ On dit aussi défendre.
▱ Le contraire d'interdire, c'est permettre.

intéresser

Intéresser quelqu'un, c'est lui plaire et retenir son attention : *les avions intéressent beaucoup Frédéric.*

Ce qui intéresse est intéressant.

163

l'intérieur

Ce qui est à l'intérieur est au-dedans : *quand il pleut, nous restons jouer à l'intérieur.*

Le contraire de l'intérieur, c'est l'extérieur.

inventer

❶ Inventer, c'est fabriquer une chose qui n'existait pas avant : *papi a inventé une drôle de machine.*

❷ Inventer, c'est imaginer quelque chose qui n'est pas vrai : *Nicolas a inventé une histoire invraisemblable pour ne pas aller à l'école.*

inverse

Le sens inverse, c'est le sens opposé, le sens contraire : *si l'on récite l'alphabet en sens inverse, on commence par la lettre Z.*

invisible

Ce qui est invisible ne peut pas se voir : *les microbes sont invisibles à l'œil nu, c'est-à-dire sans microscope.*

Le contraire d'invisible, c'est visible.

inviter

Inviter une personne, c'est lui demander de venir chez soi pour un repas ou pour une fête : *Nadia nous invite tous pour son anniversaire.*

Une personne qu'on invite est un invité ou une invitée. On lui envoie une invitation.

Jj 𝒥j Kk 𝒦k

un journal

des jumelles

jeter

jongler

un kiwi

un koala

une jument

des jouets

jaloux, jalouse

Être jaloux, c'est avoir envie de ce que les autres possèdent : *Lucas est jaloux de Zoé parce qu'elle a un magnifique jeu de construction.*

jamais

Jamais, c'est à aucun moment, pas une seule fois : *on n'a jamais vu une poule avec des dents.*

📖 Le contraire de jamais, c'est toujours.

un jardin

Un jardin est un endroit où l'on fait pousser des plantes : *dans un jardin, on peut voir des fleurs, des arbres, des légumes et des fruits.*

Une personne qui s'occupe d'un jardin est un jardinier ou une jardinière.

👁 Va voir « le jardin », p. 308.

jeter

❶ Jeter, c'est envoyer quelque chose loin et avec force : *Louis s'amuse à jeter des cailloux dans le bassin.*

🔆 On dit aussi lancer.

❷ Jeter, c'est se débarrasser de quelque chose qui ne sert plus : *Marie jette une peau de banane à la poubelle.*

un jeu

❶ Un jeu, c'est ce qu'on fait pour jouer, pour s'amuser : *Mehdi nous a appris un jeu très drôle.*

❷ Un jeu, c'est un objet qui sert à jouer selon certaines règles : *Bertrand nous apprend à jouer au jeu de l'oie.*

jeune

Être jeune, c'est ne pas avoir un grand nombre d'années : *la tante de Théo a vingt ans, elle est jeune.*
Le contraire de jeune, c'est vieux ou âgé.

Le moment de la vie où l'on est jeune, c'est la jeunesse.

joli, jolie

Ce qui est joli est agréable à regarder : *j'ai décoré ma chambre, avec des images, c'est très joli !*
On dit aussi beau.
Le contraire de joli, c'est laid.

jongler

Jongler, c'est lancer plusieurs objets en l'air les uns après les autres, les rattraper et les relancer sans s'arrêter : *au cirque, on voit des artistes jongler avec toutes sortes d'objets.*

Un artiste qui jongle est un jongleur ou une jongleuse.

la joue

La joue, c'est la partie du visage qui se trouve sous l'œil, entre le nez et l'oreille : *Flore a couru, elle a les joues toutes rouges.*

jouer

Jouer, c'est faire un jeu, c'est s'amuser : *Axel et Noémie jouent à la marchande.*

un jouet

Un jouet, c'est un objet qui sert à jouer, à s'amuser : *un ballon, un jeu de construction, une corde à sauter sont des jouets.*

un jour

❶ Un jour dure vingt-quatre heures, de minuit à minuit : *il y a sept jours dans une semaine : lundi, mardi, mercredi, jeudi, vendredi, samedi, dimanche.*

❷ Le jour, c'est le temps qui s'écoule entre le lever et le coucher du soleil, entre le matin et le soir : *en été, les jours sont beaucoup plus longs qu'en hiver.*

⊞ Le contraire du jour, c'est la nuit.

> *Quand il fait jour, c'est la journée.*

👁 Va voir « le calendrier », p. 306.

> *Doucement, doucement, doucement s'en va le jour, Doucement, doucement, à pas de velours...*

un journal

Un journal, ce sont plusieurs grandes feuilles de papier où sont imprimées des informations : *on lit le journal pour savoir ce qui se passe dans le monde.*

> *Un journal est écrit par des journalistes.*

joyeux, joyeuse

Être joyeux, c'est être très content, de bonne humeur : *Valentin est tout joyeux, il n'arrête pas de rire !*

☀ On dit aussi gai.

⊞ Le contraire de joyeux, c'est triste.

des jumeaux, des jumelles

Des jumeaux sont deux frères ou un frère et une sœur qui sont nés le même jour. Des jumelles sont deux sœurs qui sont nées le même jour : *Chloé et Marie sont jumelles, elles se ressemblent beaucoup.*

des jumelles

Des jumelles sont des instruments spéciaux qui permettent de voir ce qui est loin : *on peut observer les oiseaux avec des jumelles.*

une jument

La jument est la femelle du cheval : *la jument vient d'avoir un petit.*

Le petit est le poulain.

Le sabot de ma jument,
Pan, patapan, patapan,
Va plus vite que le vent,
Pan, patapan, patapan !

la jungle

La jungle est une forêt épaisse, dans certains pays chauds et humides : *de nombreux animaux sauvages, comme le jaguar et les singes, vivent dans la jungle.*

le jus

Le jus, c'est le liquide qui coule d'un fruit ou d'un légume quand on le presse : *Thomas presse un citron pour faire du jus.*

juste

❶ Ce qui est juste est exact, ne contient pas d'erreur : 2 + 3 = 5 : *ton calcul est juste !*

⊡ Le contraire de juste, c'est faux.

❷ Une personne juste récompense et punit chacun comme il le mérite : *la maîtresse est juste : elle ne gronde ses élèves que s'ils font des bêtises.*

⊡ Le contraire de juste, c'est injuste.

Une personne juste respecte la justice.

juste

❶ Juste, c'est tout à fait : *la maison d'Axel est juste à côté de l'école.*

❷ Juste, c'est à peine : *tu arrives trop tard, Alexis vient juste de partir.*

un kangourou

Un kangourou est un animal sauvage d'Australie. Il avance en sautant sur ses grandes pattes de derrière : *le petit kangourou grandit dans la poche que sa mère a sur le ventre. Il y reste pendant environ six mois après sa naissance.*

le kilogramme

Le kilogramme est une mesure qui sert à calculer un poids : *Julien pèse 17 kilogrammes.*
☼ On dit souvent un kilo.

le kilomètre

Le kilomètre est une mesure qui sert à calculer une distance : *la mer est à 3 kilomètres de chez Nassera.*

*Un kilomètre à pied,
ça use, ça use
Un kilomètre à pied,
ça use les souliers...*

un kiwi

❶ Un kiwi est un fruit au goût un peu acide. Il a une peau marron recouverte de petits poils et il est vert à l'intérieur : *les kiwis poussent dans les pays chauds.*

❷ Le kiwi est un oiseau de Nouvelle-Zélande. Il a de très petites ailes et ne peut pas voler : *le kiwi cherche sa nourriture dans le sol avec son long bec.*

un koala

Un koala est un petit animal d'Australie qui a une épaisse fourrure grise. Comme le kangourou, le petit koala grandit dans la poche que sa mère a sur le ventre : *le koala vit dans les arbres et passe la journée à dormir.*

LI Ll

des lunettes

une luge

n lion

un lapin

un lampion

un loup

es légumes

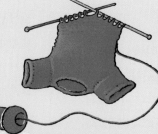

la laine

se laver

lire

un lac

Un lac, c'est une immense étendue d'eau entourée par des terres : *on fait de la planche à voile sur le lac.*

laid, laide

Être laid, c'est être désagréable à regarder : *que tu es laid, quand tu fais des grimaces !*

⊡ Le contraire de laid, c'est beau.

la laine

La laine est fabriquée avec les poils de certains animaux, comme les moutons : *on tricote la laine pour faire des vêtements.*

le lait

Le lait est un liquide blanc qui sort des mamelles des mammifères. Il se boit et sert à nourrir les bébés : *avec le lait des vaches, on fait du beurre, du fromage et des yaourts.*

Les aliments à base de lait sont des laitages.

une lampe

Une lampe est un objet qui donne de la lumière et sert à éclairer : *il y a une jolie lampe sur la table de nuit d'Antonin.*

un lampion

Un lampion, c'est une petite lampe de papier coloré : *on accroche parfois des lampions dans les rues pour le 14 Juillet.*

lancer

Lancer, c'est envoyer quelque chose loin de soi : *Hugo lance une balle pour faire courir son chien.*

la langue

❶ La langue est dans la bouche. Elle sert à parler et à sentir le goût des aliments : *Zoé s'est brûlé la langue avec du chocolat chaud.*

❷ On dit : « je donne ma langue au chat » quand on ne sait pas répondre à une devinette.

un lapin

Un lapin est un animal qui a de longues oreilles et une fourrure très douce. Il ronge ses aliments : *à la ferme, on élève les lapins dans des cages appelées des « clapiers ».*

La femelle est la lapine.
Le petit est le lapereau.

large

Ce qui est large a une grande distance d'un côté à l'autre : *une autoroute est une route très large.*

▯ Le contraire de large, c'est étroit.

laver

❶ Laver, c'est rendre propre avec de l'eau et du savon ou de la lessive : *maman a lavé la robe de ma poupée.*

☼ On dit aussi nettoyer.

❷ Se laver, c'est faire sa toilette : *Léo et Zoé se lavent dans la baignoire.*

lécher

Lécher, c'est passer sa langue sur quelque chose : *la biche lèche le dos de son faon qui vient de naître.*

la lecture

La lecture, c'est ce qu'on fait quand on lit : *j'aime bien la lecture.*

léger, légère

Ce qui est léger ne pèse pas lourd : *les plumes sont beaucoup plus légères que des cailloux.*

⊞ Le contraire de léger, c'est lourd.

un légume

Un légume, c'est une plante qu'on fait pousser dans la terre. On mange ses feuilles, ses tiges, ses racines ou ses graines :
les radis, les carottes, les artichauts sont des légumes.

👁 Va voir « les légumes », p. 303.

lent, lente

Être lent, c'est mettre beaucoup de temps pour faire quelque chose, c'est ne pas aller vite : *la tortue et les escargots sont des animaux très lents.*

⊞ Le contraire de lent, c'est rapide.

Quand on est lent, on va lentement.

une lettre

❶ Les lettres de l'alphabet servent à écrire des mots : *je connais par cœur les 26 lettres de l'alphabet.*

❷ Une lettre, c'est un texte qu'on écrit à quelqu'un et qu'on lui envoie dans une enveloppe : *maman me lit la lettre de grand-mère.*

lever

❶ Lever, c'est mettre plus haut : *Marin lève les bras pour attraper le ballon.*

📖 Le contraire de lever, c'est baisser.

❷ Se lever, c'est sortir de son lit et se mettre debout : *le matin, Vincent se lève à sept heures et quart.*

📖 Le contraire de se lever, c'est se coucher.

❸ Se lever, c'est apparaître, quand on parle du Soleil ou de la Lune : *le matin, le Soleil se lève.*

un lézard

Un lézard est un petit animal qui a le corps couvert d'écailles, une longue queue et quatre pattes. C'est un reptile, comme le serpent : *pour se nourrir, les lézards attrapent des insectes avec leur langue.*

un lièvre

Un lièvre est une sorte de grand lapin sauvage. Avec ses longues pattes arrière, il court très vite en faisant des bonds : *le lièvre vit dans un terrier qu'il creuse dans le sol.*

Le petit du lièvre est le levraut.

le lilas

Le lilas est un petit arbre avec des fleurs blanches ou mauves qui sentent très bon : *le lilas fleurit au printemps.*

Au jardin de mon père
Les lilas sont fleuris,
Tous les oiseaux du monde
Viennent y faire leurs nids.

A B C D E F G H I J K **L** M N O P Q R S T U V W X Y Z

un lion

Un lion est un animal sauvage qui vit dans les pays chauds. Il a des poils beiges et une crinière : *dans la savane, le lion défend son territoire ; la femelle chasse et élève les petits.*

La femelle est la lionne ; elle n'a pas de crinière. Le petit est le lionceau.

un liquide

Un liquide est un produit qui coule : *l'eau, le lait, l'huile sont des liquides.*

lire

❶ Lire, c'est reconnaître et comprendre les mots qui sont écrits : *on apprend à lire à l'école.*
❷ Lire, c'est dire tout haut ce qui est écrit : *papa me lit une histoire.*

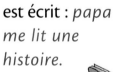

un lit

Un lit, c'est un meuble pour dormir. Il est fait d'un matelas posé sur un sommier : *il y a un lit dans chaque chambre de la maison.*

un litre

Un litre est une mesure qui sert à calculer une quantité de liquide : *on a acheté un litre de lait.*

un livre

Un livre, c'est des feuilles de papier imprimées, réunies et protégées par une couverture. Sur les pages, il y a des mots et parfois des images : *Arthur choisit un livre avec son papa.*

Une personne qui vend des livres est un ou une libraire. Elle travaille dans une librairie.

livrer

Livrer, c'est apporter chez quelqu'un une marchandise qu'il a achetée : *on vient nous livrer une nouvelle télévision.*

Une personne qui livre des marchandises est un livreur. Elle fait des livraisons.

une locomotive

Une locomotive est une machine à moteur qui tire les wagons d'un train : *cette locomotive fonctionne à l'électricité.*

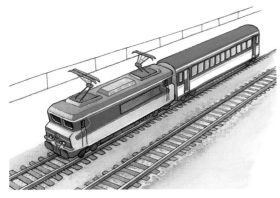

loin

Ce qui est loin est à une grande distance de l'endroit où l'on se trouve : *le parc est loin d'ici.*

Le contraire de loin, c'est près.

long, longue

❶ Ce qui est long a une grande distance d'un bout à l'autre : *Marie a les cheveux longs.*

❷ Ce qui est long dure longtemps : *les vacances d'été sont longues.*

Le contraire de long, c'est court.

un loup

Un loup est un animal sauvage qui vit dans les forêts. Il a un museau pointu et il ressemble à un grand chien : *les loups vivent en bandes appelées « meutes ».*

La femelle est la louve. Le petit est le louveteau.

lourd, lourde

Ce qui est lourd a un poids élevé : *cette valise est trop lourde, je n'arrive pas à la soulever !*

☀ On dit aussi pesant.

▥ Le contraire de lourd, c'est léger.

une luge

Une luge est une sorte de petit traîneau qui permet de glisser sur la neige : *Camille fait de la luge, elle descend la piste à toute vitesse !*

la lumière

La lumière, c'est ce qui nous éclaire et nous permet de voir les choses : *la lumière vient du Soleil ou d'une lampe.*

▥ Le contraire de la lumière, c'est le noir ou l'obscurité.

la Lune

La Lune est un astre qui tourne autour de la Terre. Elle brille la nuit dans le ciel : *la Lune a parfois la forme d'un croissant ; d'autres nuits, elle est toute ronde.*

les lunettes

Les lunettes, ce sont deux verres entourés d'une monture qu'on place sur le nez. Elles servent à mieux voir ou à protéger les yeux du soleil : *Charlotte porte des lunettes.*

un lutin

Un lutin est un petit personnage de conte qui a des pouvoirs magiques : *les lutins portent un chapeau pointu.*

Mm ℳm

un modèle

se marier

un monstre

une marionnette

un mouton

des moitiés

la maîtresse

mordre

une machine

Une machine, c'est un objet à moteur qui permet de rendre un travail plus facile : *un lave-vaisselle, un photocopieur, un ordinateur sont des machines.*

un magasin

Un magasin est un endroit où l'on achète des marchandises : *on fait des courses dans un magasin.*

un magicien, une magicienne

Un magicien et une magicienne sont des personnes qui font des choses extraordinaires avec des gestes et des mots mystérieux : *le magicien fait sortir un lapin de son chapeau.*

Les magiciens font des tours de magie. C'est magique !

magnifique

Ce qui est magnifique est très beau : *ce coucher de soleil est magnifique.*
☀ On dit aussi superbe.
📖 Le contraire de magnifique, c'est affreux.

une maison

Une maison, c'est une construction où l'on habite. Elle a des murs, des fenêtres, des portes et un toit. À l'intérieur, il y a plusieurs pièces : *la maison de Thomas est en brique.*

👁 Va voir « la maison », p. 308

Il était un petit homme,
Pirouette, cacahouète,
Il était un petit homme,
Qui avait une drôle
de maison...

un maître, une maîtresse

Un maître et une maîtresse sont les personnes qui font la classe à des élèves : *la maîtresse nous apprend à lire, à écrire et à compter.*
☼ On dit aussi un instituteur et une institutrice.

mal

❶ Mal, ce n'est pas bien, ce n'est pas comme il faut : *mamie voit mal sans ses lunettes.*
▦ Le contraire de mal, c'est bien.
❷ Se faire mal, c'est se blesser : *Éva s'est fait mal en tombant.*
❸ Avoir mal, c'est souffrir, c'est sentir une douleur : *Lucie a mangé trop de cerises, elle a mal au ventre.*

malade

Être malade, c'est ne pas être en bonne santé : *Julien est malade, sa maman le soigne.*
☼ On dit aussi souffrant.

> Quand on est malade, on a une maladie.

un mâle

Un mâle est un animal de sexe masculin. Il fait des petits avec une femelle : *le bouc est le mâle de la chèvre ; le canard est le mâle de la cane.*

malheureux, malheureuse

Être malheureux, c'est être très triste, c'est avoir beaucoup de peine : *Axel est malheureux parce que son chien s'est sauvé.*
▦ Le contraire de malheureux, c'est heureux.

> Une personne est malheureuse quand elle a des malheurs.

A B C D E F G H I J K L **M** N O P Q R S T U V W X Y Z

malin, maligne

1 Être malin, c'est trouver de bonnes idées pour se débrouiller : *Victor est malin, il a réussi à rattraper son ballon dans l'arbre.* ☼ On dit aussi futé ou débrouillard.

2 On dit : « il est malin comme un singe » quand quelqu'un est très malin.

un manche

Un manche, c'est la partie d'un objet qui sert à le tenir avec la main : *les marteaux, les balais, les couteaux ont un manche.*

une manche

Une manche, c'est la partie d'un vêtement qui couvre le bras : *l'été, on porte des manches courtes ; l'hiver, des manches longues.*

un manège

Un manège, c'est une sorte de grand plateau rond qui tourne avec des animaux en bois et des petites voitures sur lesquels on monte : *les enfants font un tour de manège.*

manger

Manger, c'est mâcher puis avaler la nourriture : *au petit déjeuner, je mange des céréales.*

manquer

1 Manquer, c'est être en moins : *il manque un bouton à ma veste.*
2 Manquer, c'est être absent : *aujourd'hui, trois élèves manquent.*

un marché

Un marché, c'est un endroit où des marchands s'installent pour vendre des marchandises, de la nourriture, des vêtements, des fleurs : *mamie fait ses courses au marché tous les jeudis.*

marcher

❶ Marcher, c'est avancer en mettant un pied devant l'autre : *ma petite sœur commence à marcher.*

❷ Quand un appareil marche, on peut s'en servir : *l'ordinateur a été réparé, maintenant il marche.*
☼ On dit aussi fonctionner.

la marée

La marée, c'est le mouvement de la mer qui monte et qui descend deux fois par jour : *à marée haute, la mer recouvre la plage ; à marée basse, la mer se retire très loin.*

un mari

Le mari d'une femme est l'homme qui est marié avec elle : *monsieur Lambert est le mari de madame Lambert.*

Madame Lambert est la femme de monsieur Lambert.

se marier

Se marier, c'est devenir mari et femme : *Sophie et Luc se marient.*

Quand deux personnes se marient, il y a un mariage.

un marin

Un marin est un homme qui travaille sur un bateau et qui navigue en mer : *ces pêcheurs sont des marins.*

une marionnette

Une marionnette est une sorte de poupée qu'on fait bouger avec les mains ou en tirant sur des fils : *Guignol est une célèbre marionnette.*

un marron

Un marron est un fruit qui a une peau marron très dure et qui ne se mange pas. Les marrons qu'on peut manger, ce sont les châtaignes : *les marrons tombent à l'automne.*

Les marrons sont les fruits du marronnier.

un masque

Un masque est un objet qu'on met sur le visage pour se déguiser : *Fabrice a mis un masque pour le carnaval.*

la maternelle

L'école maternelle est l'école pour les enfants de deux à six ans : *à la maternelle, on dessine, on chante, puis on commence à apprendre à écrire, à lire et à compter.*

le matin

Le matin, c'est la partie de la journée qui va du lever du soleil à midi : *à la campagne, on entend le coq chanter le matin.*
Le contraire du matin, c'est le soir.

méchant, méchante

Être méchant, c'est faire du mal ou de la peine aux autres : *Paul est méchant, il a tiré les cheveux d'Elsa.*
Le contraire de méchant, c'est gentil.

Le défaut d'une personne méchante, c'est la méchanceté.

un médecin

Un médecin, c'est une personne qui soigne les malades : *le médecin ausculte Jean.*
On dit aussi un docteur.

mélanger

❶ Mélanger, c'est mettre plusieurs choses ensemble et les remuer : *Hugo mélange les couleurs avant de peindre.*
❷ Mélanger, c'est mettre en désordre : *maman n'aime pas qu'on mélange ses papiers.*

la ménagerie

La ménagerie, c'est l'endroit où sont rassemblés les animaux du cirque : *dans une ménagerie, il peut y avoir des éléphants, des lions, des singes.*

mentir

Mentir, c'est dire une chose qui n'est pas vraie en sachant qu'elle est fausse : *Tom est puni car il a menti.*
Le contraire de mentir, c'est dire la vérité.

Un menteur et une menteuse mentent, ils disent des mensonges.

la mer

La mer, c'est l'eau salée qui couvre une grande partie de la Terre : *de nombreux animaux, comme les poissons, les baleines et les otaries, vivent dans la mer.*
Va voir « les animaux de la mer », p. 290.

une mère

❶ Une mère, c'est une femme qui a un ou plusieurs enfants : *on appelle sa mère « maman ».*

> La mère de ma mère ou la mère de mon père, c'est ma grand-mère.

❷ Une mère, c'est un animal femelle qui a des petits : *la mère chatte allaite ses petits.*

le métal

Le métal est une matière dure, parfois brillante, qu'on trouve dans le sol. Il sert à fabriquer des objets : *l'or, le fer, l'argent sont des métaux.*

un métier

Un métier, c'est le travail qu'une grande personne fait pour gagner de l'argent : *j'aimerais bien faire le même métier que papa : pâtissier.*
💡On dit aussi une profession.

le mètre

Le mètre est une mesure qui sert à calculer une longueur, une largeur, une hauteur, une distance : *l'oncle de Sébastien mesure presque 2 mètres !*

le métro

Le métro, c'est un train qui roule sous terre, dans les grandes villes : *Clara prend le métro avec son père.*

mettre

❶ Mettre, c'est placer un objet à un endroit : *Elsa a mis un bouquet de fleurs sur la table.*
💡On dit aussi poser.

❷ Mettre un vêtement, c'est s'habiller avec : *Loïc met son blouson pour sortir.*
▢ Le contraire de mettre, c'est enlever.

❸ Se mettre à faire quelque chose, c'est commencer à le faire : *Zoé s'est mise à rire quand elle a vu le clown.*

un meuble

Un meuble, c'est un objet qui est utile pour vivre dans une maison : *un lit, une armoire, une table, une chaise sont des meubles.*

un microbe

Un microbe est un être vivant minuscule qui peut provoquer des maladies : *Pierre a un rhume, pourvu que je n'attrape pas ses microbes !*

midi

Midi, c'est le milieu de la journée, entre le matin et l'après-midi : *à midi, les deux aiguilles de la pendule sont sur le 12, comme à minuit.*

le miel

Le miel, c'est une sorte de pâte sucrée que les abeilles fabriquent avec ce qu'elles butinent dans les fleurs : *on récolte le miel dans les ruches.*

le milieu

❶ Le milieu, c'est l'endroit qui se trouve au centre de quelque chose : *Lucas a envoyé la fléchette en plein milieu de la cible.*

❷ Le milieu, c'est le moment qui est entre le début et la fin : *Chloé s'est arrêtée au milieu de la partie de cartes.*

minuit

Minuit, c'est le milieu de la nuit. C'est aussi le moment où l'on change de jour : *à minuit, les deux aiguilles de la pendule sont sur le 12, comme à midi.*

minuscule

Ce qui est minuscule est extrêmement petit : *à côté d'une girafe, un lézard est minuscule !*

📖 Le contraire de minuscule, c'est énorme ou immense.

une minute

Les minutes servent à mesurer le temps. C'est un moment assez court. Il y a soixante minutes dans une heure : *l'après-midi, la récréation dure vingt minutes.*

un modèle

Un modèle, c'est une chose qu'on cherche à copier ou bien une personne qu'on cherche à imiter : *Carole dessine un chat qui sourit en se servant d'un modèle.*

un mois

Un mois, c'est une partie de l'année : *il y a douze mois dans une année : janvier, février, mars, avril, mai, juin, juillet, août, septembre, octobre, novembre, décembre.*

👁 Va voir « le calendrier », p. 306.

une moitié

La moitié, c'est chacune des deux parties égales d'une chose : *pour qu'il n'y ait pas de jaloux, maman a coupé la pomme en deux moitiés : une pour mon frère et une pour moi.*

le monde

❶ Le monde, c'est la Terre : *papi a voyagé dans le monde entier.*

❷ Le monde, c'est un grand nombre de personnes : *en été, il y a beaucoup de monde sur les plages.*

Allant droit devant eux,
Ils font le tour du monde,
Et comme la terre est ronde,
Ils reviennent chez eux.

un monstre

Un monstre est un animal ou un personnage affreux qui fait très peur. Il y a parfois des monstres dans les histoires : *un dragon est un monstre qui crache du feu.*

une montagne

Une montagne est une partie de la terre qui monte haut vers le ciel : *il y a des sapins à la montagne.*

👁 Va voir « la montagne », p. 318.

monter

❶ Monter, c'est aller en haut : *Pierre monte sur son lit par une échelle.*

❷ Monter, c'est porter en haut : *papa a monté une caisse au grenier.*

▢ Le contraire de monter, c'est descendre.

189

A B C D E F G H I J K L **M** N O P Q R S T U V W X Y Z

une montre

Une montre est un objet qui sert à donner l'heure. On la porte autour du poignet : *sur une montre, la petite aiguille indique l'heure et la grande aiguille indique les minutes.*

montrer

Montrer, c'est faire voir : *Julie montre à sa mère les jolis coquillages qu'elle a ramassés.*

se moquer

Se moquer, c'est rire de quelqu'un : *Guillaume se moque de Benjamin parce qu'il a peur d'une araignée.*

> Une personne moqueuse aime bien se moquer des autres.

mordre

Mordre, c'est serrer très fort entre ses dents : *Antoine s'est fait mordre par son chien, en jouant avec lui.*

un mot

Un mot, c'est un ensemble de lettres réunies qui veut dire quelque chose : *le mot « train » a cinq lettres.*

un moteur

Le moteur, c'est la partie d'une machine ou d'un véhicule qui sert à les faire fonctionner : *le moteur d'une voiture est à l'avant, sous le capot.*

une moto

Une moto est un véhicule qui a deux roues et un moteur. Elle peut aller très vite : *Cédric met toujours son casque pour faire de la moto.*

mou, molle

Quelque chose de mou s'enfonce quand on appuie dessus : *le beurre devient tout mou à la chaleur.*
◫ Le contraire de mou, c'est dur.

mouiller

Mouiller, c'est mettre de l'eau sur quelque chose : *j'ai mouillé mes pieds en marchant dans une flaque d'eau.*

une mousse

❶ La mousse, ce sont des petites bulles légères collées les unes aux autres : *le savon fait de la mousse quand on frotte ses mains sous l'eau.*

❷ Une mousse, c'est une crème faite avec des blancs d'œufs : *Lola adore la mousse au chocolat.*

❸ La mousse, c'est une petite plante verte. Elle pousse à l'ombre, au pied des arbres ou sur les pierres : *il y a souvent de la mousse sur le sol, dans les bois.*

un moustique

Un moustique est un insecte qui a de longues pattes et des ailes pour voler. Il vit dans les endroits chauds et humides : *les moustiques piquent et leurs piqûres démangent.*

un mouton

Un mouton est un animal de la ferme. On l'élève pour sa viande et pour sa laine : *on tond les moutons à la fin de l'hiver.*

> Le mouton mâle est le bélier. Le mouton femelle est la brebis. Le petit est l'agneau.

A B C D E F G H I J K L **M** N O P Q R S T U V W X Y Z

moyen, moyenne

Être moyen, c'est n'être ni grand ni petit, mais entre les deux : *Hugo est grand, Marin est petit et Pauline a une taille moyenne.*

un mur

Un mur est une construction en hauteur faite avec des pierres, des briques ou du béton : *le maçon construit le mur de la maison.*

mûr, mûre

Un fruit mûr est bon à être cueilli et mangé : *quand elles sont mûres, les fraises sont rouges.*

Devenir mûr, c'est mûrir.

un muscle

Les muscles sont les parties du corps qui servent à faire des mouvements : *quand on fait du sport, on fait travailler ses muscles.*

Quand on a de bons muscles, on est musclé.

la musique

La musique, c'est l'art d'assembler les sons, de jouer d'un instrument : *à l'école, nous faisons de la musique.*

Une personne qui fait de la musique est un musicien ou une musicienne.

un mystère

Un mystère, c'est une chose qu'on n'arrive pas à comprendre, à expliquer : *pourquoi les dinosaures ont-ils disparu de la planète ? C'est un mystère !*

Un mystère, c'est mystérieux !

Nn N n

des noisettes

nouer

un navire

une niche

des noix

un nid

un noyau

des notes

la neige

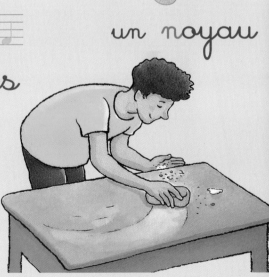

nettoyer

une nageoire

Les nageoires permettent aux poissons et à certains animaux marins de nager : *les poissons ont des nageoires sur les côtés et au bout de la queue, parfois aussi sur le dos et sur le ventre.*

nager

Nager, c'est avancer dans l'eau en faisant des mouvements avec les bras et les jambes : *Chloé apprend à nager à la piscine.*

Une personne qui nage est un nageur ou une nageuse.

un nain, une naine

Un nain et une naine sont des personnes de très petite taille. Il y a parfois des nains dans les contes : *Blanche-Neige habite dans la maison des sept nains.*
📖 Le contraire d'un nain, c'est un géant.

naître

Naître, c'est sortir du ventre de sa mère : *la maman sourit à son bébé qui vient de naître.*

Le moment où un bébé naît, c'est la naissance.

la nature

La nature, c'est tout ce qui existe sur la Terre et qui n'a pas été fabriqué par l'homme. C'est la mer, le ciel, la campagne, les montagnes, les plantes et les animaux : *la nature est fragile, il faut la protéger.*

Ce qui vient de la nature est naturel.

un navire

Un navire, c'est un gros bateau construit pour naviguer sur la mer : *les anciens navires avaient plusieurs mâts et de nombreuses voiles.*

*Il était un petit navire...
Qui n'avait ja-ja-jamais
navigué... Ohé ! Ohé !*

la neige

La neige, c'est de l'eau gelée qui tombe du ciel en flocons blancs, quand il fait froid : *Paul et Léa font une bataille de boules de neige.*

*Quand la neige tombe,
il neige.*

nettoyer

Nettoyer, c'est enlever la saleté pour rendre propre : *papa nettoie la table de la cuisine à la fin du repas.*

🔲 Le contraire de nettoyer, c'est salir.

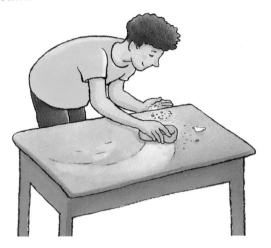

neuf, neuve

Ce qui est neuf vient d'être fabriqué et n'a pas encore servi : *maman a acheté des chaussures neuves à Clémentine, pour la rentrée.*

💡 On dit aussi nouveau.

🔲 Le contraire de neuf, c'est vieux ou usé.

le nez

Le nez, c'est la partie du visage qui se trouve entre les deux joues. Il sert à respirer et à sentir les odeurs : *dans le bas du nez, il y a deux trous qui s'appellent les « narines ».*

une niche

Une niche est une sorte de petite maison où couche un chien : *le soir, Filou va dormir dans sa niche.*

un nid

Un nid, c'est un petit abri construit par les oiseaux pour pondre et couver leurs œufs et pour élever leurs petits : *pour faire leur nid, les oiseaux utilisent des brindilles, du duvet ou de la boue séchée.*

un nœud

Faire un nœud, c'est croiser d'une certaine façon les deux bouts d'une ficelle ou d'un ruban et tirer fort pour les attacher : *Alexandre fait un nœud avec une boucle à ses lacets.*

Faire un nœud, c'est nouer.

une noisette

Une noisette est un petit fruit rond à l'intérieur d'une coquille dure marron clair : *les écureuils font des réserves de noisettes pour l'hiver.*

Les noisettes poussent sur les noisetiers.

une noix

Une noix est un fruit à l'intérieur d'une coquille ovale très dure : *on ramasse les noix à l'automne.*

Les noix poussent sur les noyers.

un nom

❶ Un nom, c'est un mot qui sert à appeler un animal ou une chose :

« tulipe » est un nom de fleur, « loup » est un nom d'animal.

tulipe   loup

❷ Le nom d'une personne, c'est son prénom et son nom de famille : *la maîtresse nous a dit son nom : elle s'appelle Sabine Dupuis.*

un nombre

❶ Un nombre sert à compter : *31 est un nombre qui s'écrit avec 2 chiffres.*

❷ Un nombre, c'est une quantité, c'est combien il y a de personnes ou de choses : *sept, c'est le nombre de jours qu'il y a dans une semaine.*

nombreux, nombreuse

Être nombreux, c'est être beaucoup, en grand nombre : *il y a de nombreux jouets dans la vitrine du magasin.*

une note

❶ Les notes servent à écrire la musique. Chaque note représente un son : *do, ré, mi, fa, sol, la, si sont des notes.*

❷ Une note, c'est un nombre ou une lettre qu'on donne à un devoir. Elle indique si on a bien ou mal travaillé : *Marie a eu 9 à sa dictée : c'est une très bonne note.*

nourrir

❶ Nourrir, c'est donner à manger : *on nourrit les bébés avec du lait.*

❷ Se nourrir, c'est manger : *les vaches se nourrissent d'herbe.*

A B C D E F G H I J K L M **N** O P Q R S T U V W X Y Z

un noyau

Un noyau, c'est la partie dure qui se trouve à l'intérieur de certains fruits. Le noyau contient la graine du fruit : *les cerises et les prunes ont des noyaux.*

se noyer

Se noyer, c'est mourir sous l'eau parce qu'on ne peut plus respirer : *quand on ne sait pas bien nager, on risque de se noyer.*

nu, nue

❶ Être nu, c'est n'avoir aucun vêtement sur le corps : *on se met nu pour prendre une douche ou un bain.*

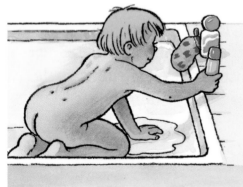

❷ Être pieds nus, c'est être sans chaussures ni chaussettes : *on peut marcher pieds nus sur la plage.*

un nuage

Un nuage est fait de toutes petites gouttes d'eau qui flottent ensemble dans le ciel : *la pluie et la neige tombent des nuages.*

Un ciel couvert de nuages est nuageux.

Nuages dans le ciel
S'étirent, s'étirent
Nuages dans le ciel
S'étirent comme une aile...

la nuit

La nuit, c'est le temps qui se passe entre le coucher et le lever du soleil, entre le soir et le matin : *les étoiles et la Lune brillent la nuit.*
Le contraire de la nuit, c'est le jour.

Oo Oo

un oiseau

les oreilles

offrir

un œuf

un orchestre

une oie

des oranges

des ours

des otaries

obéir

Obéir, c'est faire ce qui est demandé : *Filou obéit quand on lui dit de venir.*

Le contraire d'obéir, c'est désobéir.

Quand on obéit, on est obéissant.

un objet

Un objet, c'est une chose qu'on peut voir et qu'on peut toucher : *un crayon, un livre, une lampe sont des objets.*

observer

Observer, c'est regarder avec attention : *Basile observe des fourmis.*

occupé, occupée

❶ Être occupé, c'est avoir beaucoup de choses à faire : *papa est très occupé, il ne faut pas le déranger !*

❷ Un endroit qui est occupé est utilisé par quelqu'un : *la salle de bains est occupée.*

Le contraire d'occupé, c'est libre.

une odeur

Une odeur, c'est ce qu'on sent avec son nez. Elle peut être bonne ou mauvaise : *j'aime l'odeur du lilas.*

un œuf

Un œuf, c'est ce que pondent les femelles des oiseaux et de certains animaux, comme les serpents, les poissons et les insectes : *l'oiseau grandit dans l'œuf et, un jour, il sort en cassant sa coquille.*

offrir

Offrir, c'est donner en cadeau :
Hugo offre un jouet à son amie
Charlotte pour son anniversaire.

une oie

Une oie est un gros oiseau blanc
ou gris. Elle a un long
cou, un large bec et des
pattes palmées, comme
celles du canard : *il y a*
des oies sauvages et des
oies qu'on élève à la ferme.

Le mâle de l'oie est le jars.
Leur petit est l'oison.

un oiseau

Un oiseau est un animal qui a le corps
couvert de plumes, deux pattes, deux
ailes et un bec : *la plupart des oiseaux*
volent, sauf certains,
comme l'autruche et
le kiwi.

l'ombre

❶ L'ombre, c'est l'endroit qui n'est
pas éclairé par le soleil : *en été,*
papi aime faire la sieste à l'ombre.
❷ Une ombre, c'est la forme
sombre que fait sur le sol un corps
ou un objet éclairé par le soleil :
quand mon ombre est devant moi,
j'essaie de marcher dessus !

un oncle

L'oncle d'une personne, c'est le frère
de sa mère ou le frère de son père :
j'appelle mon oncle « tonton ».

La sœur de la mère ou
du père c'est la tante.

une opération

❶ Faire une opération, c'est ouvrir le
corps de quelqu'un pour soigner une
partie malade : *mamie est à l'hôpital*
pour une opération du genou.

Faire une opération,
c'est opérer.

❷ Une opération,
c'est un calcul qu'on
fait avec des nombres :
une addition et une
soustraction sont
des opérations.

$$17$$
$$+ \ 6$$
$$\overline{3}$$

l'or

L'or, c'est un métal précieux, jaune et brillant : *on fabrique des bijoux en or.*

un orage

❶ Un orage, c'est une grosse pluie avec des éclairs et des coups de tonnerre : *il y a un orage, rentrons vite !*

❷ On dit « il y a de l'orage dans l'air » quand on sent qu'une dispute va éclater.

une orange

Une orange est un fruit rond et orange avec des pépins. Elle donne un jus au goût sucré : *on épluche l'orange pour la manger.*

Les oranges poussent sur les orangers, dans les pays chauds.

un orchestre

Un orchestre, c'est un groupe de personnes qui font de la musique ensemble avec des instruments de musique différents : *ma tante joue du violon dans un orchestre.*

La personne qui dirige un orchestre est un chef d'orchestre.

un ordinateur

Un ordinateur, c'est une machine avec un écran et un clavier. Il sert à écrire des textes, à trouver des renseignements et à jouer : *Tom fait un jeu sur l'ordinateur.*

l'ordre

❶ L'ordre, c'est quand chaque chose est rangée à sa place : *Alexis finit de mettre sa chambre en ordre.*

▦ Le contraire de l'ordre, c'est le désordre.

❷ Un ordre, c'est ce qu'on dit de faire à quelqu'un : *la maîtresse nous a donné l'ordre de nous taire.*

> Donner un ordre, c'est ordonner.

les ordures

Les ordures, ce sont toutes les choses qu'on met à la poubelle : *les éboueurs ramassent les ordures tous les jours.*

une oreille

Les oreilles se trouvent de chaque côté de la tête. Elles permettent d'entendre : *Zoé s'est accroché des cerises aux oreilles.*

un os

Les os sont les parties dures du corps qui servent à tenir les muscles et la peau : *l'ensemble des os du corps forme le squelette.*

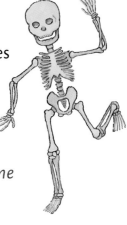

oser

Oser, c'est avoir le courage de faire ou de dire quelque chose : *incroyable ! Lucie a osé sauter du grand plongeoir.*

une otarie

Une otarie est un gros animal au poil court et gris qui vit en liberté dans les mers très froides : *au cirque, Guillaume a vu des otaries dressées qui jouaient au ballon.*

A B C D E F G H I J K L M N **O** P Q R S T U V W X Y Z

oublier

❶ Oublier, c'est ne pas
se souvenir : *Antoine a oublié
le nom de l'endroit où il a passé
ses vacances.*

📖 Le contraire d'oublier, c'est
se rappeler.

❷ Oublier, c'est laisser un objet
quelque part, sans le faire exprès :
*Valentine a oublié son bonnet
à l'école.*

un ours

Un ours est un gros animal sauvage
qui a une fourrure brune, noire ou
blanche et des grosses griffes : *les
ours bruns vivent dans les forêts,
en montagne.*

*La femelle est l'ourse.
Le petit est l'ourson.*

un outil

Un outil est un
objet qui sert à
faire un travail avec
les mains : *un marteau et une scie
sont des outils.*

ouvrir

❶ Quand on ouvre une porte, on
peut entrer ou sortir : *on ouvre la
porte d'une maison avec une clé.*

❷ Ouvrir un robinet, c'est le
tourner pour que l'eau coule :
Azélie ouvre le robinet de l'évier.

📖 Le contraire d'ouvrir, c'est fermer.

un ovale

Un ovale est une forme qui est
arrondie et un peu
allongée, comme
un œuf : *j'ai dessiné
un ovale sur mon
cahier.*

Pp Pp

un parapluie

les pays

le parfum

un papillon

une poule
des poussins

un perroquet

le printemps

un panda

une page

Une page, c'est chaque côté d'une feuille de livre ou de cahier : *maman me lit quelques pages d'un conte chaque soir.*

une paille

❶ La paille, c'est la tige coupée des céréales : *les animaux de la ferme dorment sur de la paille.*

❷ Une paille, c'est un petit tuyau fin qu'on utilise pour boire : *Théo boit son jus d'orange avec une paille.*

le pain

Le pain est un aliment fait d'un mélange de farine, d'eau, de levure et de sel. Il est cuit au four : *on achète le pain dans une boulangerie.*

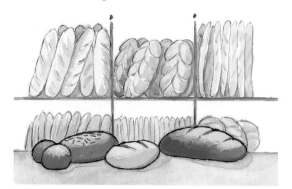

une paire

Une paire, c'est un ensemble de deux choses pareilles qui vont l'une avec l'autre : *j'ai une paire de moufles et une paire de gants.*

pâle

Être pâle, c'est avoir le visage presque blanc : *Lucas est tout pâle, il doit être malade !*

Devenir pâle, c'est pâlir.

un panda

Un panda est un gros animal avec une fourrure blanche et noire. Il vit dans les forêts d'Asie : *le panda se nourrit de feuilles de bambou.*

un panier

Un panier est un objet en osier qui sert à transporter des choses. On le tient à la main par une ou deux anses : *papi met les pommes qu'il a cueillies dans un panier.*

un paon

Un paon est un grand et bel oiseau qui a des plumes bleu-vert et une longue queue : *le paon fait la roue en étalant sa queue.*

*La femelle est la paonne.
Elle a des plumes moins
colorées que le mâle.
Le petit est le paonneau.*

le papier

Le papier est une matière fabriquée avec du bois ou des chiffons. Il sert à écrire, à faire des livres et à envelopper des choses : *les livres et les journaux sont imprimés sur du papier.*

un papillon

Un papillon est un insecte qui a quatre grandes ailes, souvent avec de jolies couleurs : *le papillon pond de petits œufs, d'où sortent des chenilles ; les chenilles deviennent ensuite des papillons.*

*Pimpanicaille
Roi des papillons
En se faisant la barbe
S'est coupé le menton.*

un parapluie

Un parapluie, c'est un objet qu'on ouvre au-dessus de sa tête pour se protéger de la pluie : *il pleut ! Heureusement, Zoé a son parapluie !*

L'objet qui protège du Soleil, c'est un parasol.

pareil, pareille

Quand deux personnes, deux animaux ou deux choses sont pareils, ils ont la même forme et la même couleur, ce sont les mêmes : *le bonnet d'Arthur et le bonnet de Nicolas sont pareils.*

💡 On dit aussi identique.

🔲 Le contraire de pareil, c'est différent.

les parents

Les parents, ce sont le père et la mère d'une personne : *papa et maman sont mes parents, ce sont aussi les parents de mon frère.*

Les parents de mes parents sont mes grands-parents.

paresseux, paresseuse

Être paresseux, c'est ne pas aimer travailler ni faire des efforts : *Hugo est paresseux, il n'a pas envie de se lever pour aller à l'école !*

💡 On dit aussi fainéant.

Le défaut d'une personne paresseuse, c'est la paresse.

un parfum

❶ Un parfum, c'est une odeur agréable : *Lucie adore le parfum des fleurs.*

❷ Un parfum, c'est un liquide qui sent bon : *maman se met du parfum.*

❸ Le parfum d'une glace, c'est le goût qu'elle a : *chocolat, vanille ou fraise ? Quel parfum préfères-tu ?*

parler

Parler, c'est dire des mots pour faire savoir ce qu'on pense, ce qu'on veut : *ma petite sœur commence à parler.*

Quand on parle, on dit des paroles.

partager

❶ Partager, c'est couper en plusieurs parts : *Guillaume partage le gâteau pour ses amis et lui.*

❷ Partager, c'est donner une partie de ce qu'on a : *sois gentil, partage tes bonbons avec ton frère !*

une partie

❶ Une partie, c'est un morceau de quelque chose : *la tête, le tronc, les bras, les jambes sont des parties de notre corps.*

❷ Une partie, c'est la durée d'un jeu jusqu'à ce qu'un des joueurs gagne : *papa et Sébastien font une partie de boules.*

partir

Partir, c'est quitter un endroit : *quand on part de la maison, on ferme la porte à clé.*

On dit aussi s'en aller.

Le contraire de partir, c'est arriver.

un pas

Faire un pas, c'est poser un pied devant l'autre pour marcher : *quand on marche sur le sable mouillé, on voit la trace de nos pas.*

A B C D E F G H I J K L M N O P Q R S T U V W X Y Z

passer

❶ Passer, c'est avancer sans s'arrêter : *Loïc aime regarder les avions passer.*

❷ Passer, c'est traverser : *le tunnel passe sous la montagne.*

❸ Passer, c'est donner ou envoyer : *passe-moi la moutarde, s'il te plaît !*

❹ Passer, c'est employer son temps d'une certaine manière : *les enfants ont passé l'après-midi à jouer.*

❺ Se passer, c'est avoir lieu, se dérouler : *cette histoire se passe dans un pays lointain.*

une pâte

❶ La pâte est un mélange à base de farine et d'eau qui sert à faire du pain, des gâteaux ou des crêpes : *maman met la pâte dans un moule.*

❷ La pâte à modeler, c'est une matière molle pour faire des formes :

Marie fait des petits animaux en pâte à modeler.

❸ Les pâtes sont des aliments fabriqués avec du blé qu'on fait cuire dans de l'eau : *les spaghettis et les nouilles sont des pâtes.*

patient, patiente

Être patient, c'est être capable d'attendre sans s'énerver : *il faut être patient quand un train a du retard.*

⊡ Le contraire de patient, c'est impatient.

La qualité d'une personne patiente, c'est la patience.

un patin

Les patins sont des chaussures spéciales qui servent à glisser : *avec les patins à roulettes, on glisse sur le sol ; avec les patins à glace, on glisse sur la glace.*

Faire du patin, c'est patiner. Une personne qui fait du patin est un patineur ou une patineuse.

pauvre

Une personne pauvre n'a pas assez d'argent pour vivre : *il y a des gens très pauvres qui n'ont pas de maison et dorment dans la rue.*

⊡ Le contraire de pauvre, c'est riche.

payer

Payer, c'est donner de l'argent pour avoir quelque chose : *on paie ses achats à la caisse du magasin.*

un pays

Un pays, c'est une partie du monde qui est séparée des autres par des frontières : *sur un globe, on peut voir tous les pays du monde.*

un paysage

Un paysage, c'est ce qu'on voit dehors quand on regarde autour de soi : *du haut de la colline, on découvre un joli paysage.*

la peau

❶ La peau, c'est ce qui couvre le corps : *on met de la crème sur sa peau pour la protéger du soleil.*

❷ La peau, c'est ce qui recouvre les fruits et les légumes : *on enlève la peau des oranges pour les manger.*

une pêche

Une pêche est un fruit sucré qui a un gros noyau et une peau très douce : *on mange des pêches en été.*

Les pêches poussent sur les pêchers.

pêcher

Pêcher, c'est attraper des poissons avec une canne à pêche ou un filet : *papi pêche dans la rivière.*

Les personnes qui pêchent sont des pêcheurs.

A B C D E F G H I J K L M N O **P** Q R S T U V W X Y Z

un peigne

Un peigne, c'est
un objet plat et long avec des
petites pointes qu'on appelle des
« dents » : *un peigne sert
à démêler et à coiffer les cheveux.*

> Coiffer avec un peigne, c'est
> peigner.

peindre

❶ Peindre, c'est
étaler de la peinture
avec un
pinceau
ou un
rouleau :
*Éric peint
le mur en jaune.*
❷ Peindre, c'est faire un tableau :
*maman a peint un très joli
paysage de montagne.*

> Une personne qui peint est
> un ou une peintre.

une pelle

Une pelle est un outil fait d'une
plaque de métal attachée à un
manche : *on creuse la terre avec
une pelle.*

se pencher

Se pencher, c'est baisser le haut
du corps en avant : *Romain se
penche pour cueillir des fleurs.*
💡 On dit aussi se baisser.

un pépin

Un pépin, c'est une
petite graine qu'on
trouve dans certains
fruits : *les poires, les
pommes, les melons, les
pastèques ont des pépins.*

percer

Percer, c'est faire un trou :
*l'ouvrier perce le mur du salon
pour installer des étagères.*

> L'outil qui sert à percer
> des trous, c'est une
> perceuse.

perdre

❶ Perdre, c'est ne pas retrouver :
Lucie perd souvent ses crayons.
❷ Perdre, c'est être le moins bon,
le moins fort : *j'ai perdu
au ping-pong.*
📖 Le contraire de perdre, c'est gagner.

> *Une personne qui perd est un
> perdant ou une perdante.*

❸ Se perdre, c'est ne plus
retrouver son chemin : *on peut
se perdre dans une forêt.*

> *C'est la mère Michel
> Qui a perdu son chat.
> Qui crie par la fenêtre
> À qui le lui rendra...*

un père

❶ Un père, c'est un homme qui
a un ou plusieurs enfants : *on
appelle son père « papa ».*

> *Le père de mon père ou
> le père de ma mère, c'est
> mon grand-père.*

❷ Un père, c'est un animal mâle
qui a un ou plusieurs petits :
le lion est le père du lionceau.

une perle

Une perle, c'est
une petite boule
percée d'un trou
pour passer un
fil : *Lola a un joli collier de perles.*

permettre

❶ Permettre, c'est donner le
droit de faire quelque chose :
*maman me permet d'aller faire
du roller avec Lucas.*
📖 Le contraire de permettre, c'est
interdire ou défendre.

> *Permettre, c'est donner la
> permission.*

❷ Permettre, c'est rendre une
chose possible : *les bateaux
permettent de voyager sur l'eau.*
📖 Le contraire de permettre, c'est
empêcher.

un perroquet

Un perroquet est un
oiseau avec un bec
crochu et des plumes
qui ont souvent de belles
couleurs : *un perroquet est
capable de répéter les mots qu'on
lui apprend.*

A B C D E F G H I J K L M N O **P** Q R S T U V W X Y Z

un personnage

Un personnage, c'est une personne ou un animal inventés dont on raconte les aventures dans une histoire : *Pinocchio est un célèbre personnage de conte.*

peser

❶ Peser, c'est mesurer le poids d'une chose ou d'une personne : *le marchand de fruits pèse les cerises sur la balance.*

❷ Peser, c'est avoir un certain poids : *Amélie pèse 18 kilos.*

un pétale

Les pétales sont les parties colorées d'une fleur : *les pétales des coquelicots sont rouges ; ceux des pâquerettes sont blancs et roses.*

petit, petite

❶ Être petit, c'est avoir une taille peu élevée : *Élodie est plus petite qu'Alex.*

❷ Être petit, c'est être très jeune : *un bébé est trop petit pour manger tout seul.*

❸ Il n'y a pas beaucoup de place dans ce qui est petit : *nous habitons un petit appartement.*

📖 Le contraire de petit, c'est grand.

la peur

La peur, c'est ce qu'on sent quand il y a un danger ou quand on imagine qu'il y en a un : *Paul a peur des gros chiens.*

Quand on a peur de tout, on est peureux.

un phare

❶ Un phare, c'est une grande tour avec une lumière puissante dans le haut. Il sert à guider les bateaux près des côtes, la nuit : *le bateau passe près du phare.*

❷ Les phares d'une voiture, ce sont les lumières qui se trouvent à l'avant. Ils servent à éclairer la route : *les conducteurs allument les phares quand il y a du brouillard.*

une photo

Une photo, c'est une image faite avec un appareil photo : *Julien montre à Chloé la photo de son chien.*

Une personne qui prend des photos est un ou une photographe.

un piano

Un piano est un instrument de musique avec des touches noires et blanches : *on frappe les touches du piano pour faire des sons.*

Une personne qui joue du piano est un ou une pianiste.

une pièce

❶ Une pièce, c'est une partie d'une maison ou d'un appartement qui est entourée de murs : *le salon et les chambres sont des pièces.*
❷ Une pièce est un petit morceau de métal rond et plat qui sert à payer : *je mets mes pièces dans une tirelire.*

la pierre

❶ La pierre est une matière dure qu'on trouve dans la terre. Elle sert à bâtir des maisons, à faire des routes : *notre immeuble est en pierre.*
❷ Une pierre est un morceau de rocher : *des pierres sont tombées sur la route.*

une pile

❶ Une pile, c'est un ensemble d'objets placés les uns sur les autres : *il y a une pile d'assiettes sur la table.*

Mettre en pile, c'est empiler.

❷ Une pile, c'est un petit objet qui donne de l'électricité : *ma voiture téléguidée marche avec des piles.*

un pingouin

Un pingouin est un oiseau de mer noir et blanc qui a des pattes palmées et un gros bec. Il vit près des glaces du pôle Nord. Il peut nager et voler : *les pingouins vivent en groupe.*

un piquant

❶ Un piquant est une pointe qui pousse sur certaines plantes : *les cactus ont des piquants.*

❷ Un piquant est un poil dur qui pousse sur le corps de certains animaux : *les hérissons ont le dos couvert de piquants.*

un pique-nique

Un pique-nique est un repas froid qu'on mange dehors, le plus souvent dans la nature, sur l'herbe : *Lucie et ses parents font un pique-nique dans les bois.*

Faire un pique-nique, c'est pique-niquer.

piquer

❶ Piquer, c'est enfoncer une aiguille ou quelque chose de pointu : *les guêpes piquent avec leur dard.*

> Quand on se fait piquer
> on a une piqûre.

❷ Piquer, c'est irriter, c'est brûler un tout petit peu : *la moutarde forte pique la langue.*

> Ce qui pique est piquant.

un pirate

Autrefois, un pirate était un bandit qui attaquait les bateaux pour voler tout ce qu'il y avait dedans : *les pirates montent à l'assaut du navire.*

une place

❶ Une place, c'est un endroit où quelque chose est rangé d'habitude : *mon pull n'est pas à sa place.*

❷ Une place, c'est un endroit où quelqu'un peut s'asseoir : *Clara laisse sa place à la dame.*

❸ Une place, c'est un espace libre où l'on peut mettre quelque chose : *il reste de la place dans ma valise.*

❹ Une place, c'est un endroit assez grand où plusieurs rues arrivent : *il y a une fête sur la place du village.*

❺ À ta place, c'est si j'étais toi : *à ta place, je me tairais.*

un plafond

Le plafond, c'est le haut d'une pièce : *il y a une petite araignée au plafond.*

> Un petit cochon
> Pendu au plafond.
> Tirez-lui la queue
> Il pondra des œufs...

A B C D E F G H I J K L M N O **P** Q R S T U V W X Y Z

une plage

Une plage, c'est un endroit plat couvert de sable ou de galets, au bord de la mer : *il y a souvent des coquillages sur la plage.*

👁 Va voir « la mer », p. 319.

une planche

Une planche, c'est un morceau de bois, long et plat : *grand-père nous construit une petite cabane avec des planches.*

une plante

Une plante, c'est ce qui pousse dans la terre. Elle est fixée au sol par ses racines : *les arbres, les fleurs, les légumes, les champignons sont des plantes.*

planter

Planter, c'est mettre une plante dans la terre pour qu'elle pousse : *Jean plante des salades.*

plat, plate

Ce qui est plat n'a ni creux ni bosses et n'est pas non plus en pente : *c'est plus facile de faire du vélo sur un terrain plat.*

plein, pleine

❶ Ce qui est plein est rempli, on ne peut rien y mettre en plus : *mon verre est plein.*

📖 Le contraire de plein, c'est vide.

❷ Plein de, c'est un grand nombre de : *Alexandre a plein de copains.*

💡 On dit aussi beaucoup.

pleurer

Pleurer, c'est avoir des larmes qui coulent des yeux : *Martin pleure et sa maman le console.*

Le contraire de pleurer, c'est rire.

plier

Plier, c'est mettre une partie d'un papier ou d'un tissu à plat sur une autre partie : *Timothée plie une feuille pour fabriquer une cocotte en papier.*

Quand on plie du papier pour lui donner des formes, on fait des pliages.

plonger

Plonger, c'est sauter dans l'eau, la tête et les bras en avant : *le maître-nageur m'apprend à plonger.*

Plonger, c'est faire un plongeon. On peut plonger d'un plongeoir.

la pluie

La pluie, c'est de l'eau qui tombe des nuages en gouttes : *la pluie arrose le jardin.*

Quand la pluie tombe, il pleut.

une plume

Les plumes recouvrent et protègent le corps des oiseaux. Elles sont allongées, plates et douces : *le flamant rose a des plumes rose-orangé sur le bord des ailes.*

A B C D E F G H I J K L M N O **P** Q R S T U V W X Y Z

plusieurs

Plusieurs, c'est plus d'un : *Julie a plusieurs copains.*

une poésie

Une poésie est une petite histoire écrite, où les derniers mots de chaque ligne se terminent par un même son : *Laura récite la poésie des pinsons.*
☀ On dit aussi un poème.

Un poète écrit des poésies.

*J'ai vu trois pinsons
Gazouiller sur une branche.
Ils apprennent des chansons
Pour nous les chanter dimanche.*

le poids

❶ Le poids, c'est ce que pèse une personne ou une chose : *on mesure le poids d'une personne en kilos.*
❷ Un poids lourd, c'est un gros camion.

une poignée

❶ Une poignée, c'est la partie d'un objet qui sert à le tenir avec la main : *les valises ont une poignée.*
❷ Une poignée, c'est ce qui tient dans une main fermée : *Louis donne à Éloïse une poignée de bonbons.*

un poil

Les poils recouvrent le corps de certains animaux. Ils recouvrent aussi certaines parties du corps des personnes : *le chien de Romain a de longs poils.*

une pointe

❶ Une pointe, c'est le bout mince et piquant d'un objet : *maman s'est piqué le doigt avec la pointe d'une aiguille.*

❷ Sur la pointe des pieds, c'est sur le bout des pieds : *Félix marche sur la pointe des pieds pour ne pas faire de bruit.*

pointu, pointue

Ce qui est pointu se termine par une pointe : *les crocodiles ont des dents pointues.*

une poire

Une poire est un fruit ovale, jaune ou vert, avec des pépins : *les poires sont juteuses et sucrées.*

Les poires poussent sur les poiriers.

le poison

Le poison est un produit qui peut rendre très malade ou faire mourir si on l'avale : *la sorcière a mis du poison dans la pomme de Blanche-Neige.*

un poisson

Un poisson est un animal qui vit dans l'eau. Il a des nageoires et son corps est couvert d'écailles : *il existe des poissons de mer et des poissons d'eau douce.*

Une personne qui vend du poisson est un poissonnier ou une poissonnière et travaille dans une poissonnerie.

👁 Va voir « les animaux de la mer », p. 290.

poli, polie

Être poli, c'est être bien élevé et se conduire comme il faut : *quand on est poli, on n'oublie jamais de dire « s'il vous plaît », « merci », « pardon », « bonjour » et « au revoir ».*

⬚ Le contraire de poli, c'est impoli.

la police

La police, ce sont des personnes qui s'occupent de la sécurité sur les routes et dans les villes et qui arrêtent les voleurs et les criminels : *on roulait trop vite, la police nous a arrêtés.*

Les personnes qui travaillent dans la police sont des policiers.

pollué, polluée

Un air, une eau ou un endroit pollués sont sales et mauvais pour la santé : *l'air des grandes villes est souvent pollué à cause des voitures.*

une pomme

❶ Une pomme est un fruit rond jaune, vert ou rouge avec des pépins : *on croque dans une pomme.*

Les pommes poussent sur les pommiers.

❷ Une pomme de terre est un légume qui pousse dans la terre : *avec des pommes de terre, on fait de la purée et des frites.*

un pompier

Un pompier est une personne qui porte secours aux gens quand il y a un incendie, une inondation ou un accident : *quand il y a le feu, les pompiers arrivent très vite pour l'éteindre.*

pondre

Pondre, c'est faire sortir un œuf de son corps : *les femelles des oiseaux, des poissons et des serpents pondent des œufs.*

un poney

Un poney est un petit cheval qui a une crinière épaisse : *on fait souvent faire du poney aux enfants.*

un pont

Un pont est une construction qui permet de passer par-dessus une rivière, une route ou une voie ferrée : *la barque passe sous le pont.*

un port

Un port, c'est un endroit au bord de la mer où les bateaux peuvent s'arrêter et s'abriter : *les bateaux de pêche rentrent au port.*

porter

❶ Porter, c'est soulever et tenir : *maman porte Arthur dans ses bras.*

❷ Porter un vêtement, c'est l'avoir sur soi, c'est être habillé avec : *Arthur porte un tee-shirt jaune.*
❸ Porter, c'est apporter quelque part : *mamie porte un paquet à la poste.*

A B C D E F G H I J K L M N O **P** Q R S T U V W X Y Z

poser

❶ Poser, c'est mettre une chose quelque part : *je pose les assiettes sur la table pour mettre le couvert.*

❷ Poser une question, c'est demander quelque chose à quelqu'un : *Adrien pose une question à la maîtresse.*

❸ Se poser, c'est arrêter de voler et se placer quelque part : *un oiseau s'est posé sur le bord de la fenêtre.*

📖 Le contraire de se poser, c'est s'envoler.

possible

❶ Ce qui est possible peut être fait : *c'est possible de nager la tête sous l'eau, mais ce n'est pas possible de marcher sur l'eau !*

❷ Ce qui est possible peut arriver, se produire : *le ciel est tout gris, il est possible qu'il pleuve demain.*

📖 Le contraire de possible, c'est impossible.

un pou

Un pou est un insecte minuscule qui vit dans les cheveux : *les poux pondent des œufs qui s'appellent des « lentes ».*

la poudre

La poudre est une matière faite de grains très fins : *la farine est une poudre blanche faite avec des grains de blé écrasés.*

un poulain

Un poulain est un tout jeune cheval : *quelques minutes après sa naissance, le poulain se met déjà debout.*

La mère du poulain est la jument, son père est le cheval.

une poule

❶ Une poule est un oiseau de la ferme. Elle a une crête rouge sur la tête : *les poules picorent des grains.*

Le mâle est le coq. Le petit est le poussin. Le poulet est un jeune coq ou une jeune poule.

❷ On dit : « j'ai la chair de poule » quand on a les poils qui se dressent parce qu'on a froid ou qu'on a peur.

*Une poule sur un mur
Qui picote du pain dur
Picoti picota
Lève la queue et puis s'en va.*

une poupée

Une poupée, c'est un jouet qui ressemble à un enfant ou à une grande personne : *Lise joue avec ses poupées.*

pousser

❶ Pousser quelque chose, c'est le faire bouger vers l'avant en appuyant dessus : *ma sœur pousse la poussette.*

▢ Le contraire de pousser, c'est tirer.

❷ Pousser quelqu'un, c'est le bousculer : *ne me pousse pas, tu vas me faire tomber !*

❸ Pousser, c'est grandir : *les plantes, les cheveux, les dents poussent.*

la poussière

La poussière, c'est une matière faite de tout petits grains de terre ou de saleté. Elle flotte dans l'air et se dépose un peu partout : *les meubles du grenier sont couverts de poussière.*

A B C D E F G H I J K L M N O **P** Q R S T U V W X Y Z

un poussin

Le poussin **est le petit de la poule et du coq, qui vient de sortir de l'œuf** : *les poussins suivent leur mère partout.*

pouvoir

❶ Pouvoir, **c'est être capable de faire quelque chose** : *quand on sait nager, on peut aller dans le grand bassin.*
❷ Pouvoir, **c'est avoir la permission de faire quelque chose** : *je peux regarder la télévision, maman est d'accord.*

préférer

Préférer, **c'est aimer mieux** : *Nassera préfère les gâteaux aux glaces.*

premier, première

Le premier, **c'est celui qui vient avant tous les autres** : *le 1er janvier est le premier jour de l'année.*
📖 **Le contraire du premier, c'est le dernier.**

prendre

❶ Prendre, **c'est attraper avec sa main** : *Nicolas prend un livre sur l'étagère.*

❷ Prendre, **c'est emporter avec soi** : *prends ton maillot de bain, nous allons nous baigner !*
❸ Prendre, **c'est enlever quelque chose à quelqu'un** : *Tom m'a pris ma petite voiture.*
📖 **Le contraire de prendre, c'est rendre.**
❹ Prendre, **c'est utiliser un moyen de transport** : *nous prenons le car pour aller à l'école.*

un prénom

Le prénom, **c'est le nom que les parents donnent à leur enfant à sa naissance. Il vient avant le nom de famille** : *je m'appelle Paul Dupuis ; mon prénom, c'est Paul.*

préparer

Préparer, c'est faire ce qu'il faut à l'avance pour qu'une chose soit prête : *Zoé aide sa maman à préparer le repas.*

près

Ce qui est près est à une petite distance de l'endroit où l'on se trouve : *mon école est tout près de ma maison.*

Le contraire de près, c'est loin.

présent, présente

Être présent, c'est être là : *toute la famille est présente pour fêter l'anniversaire de Romain.*

Le contraire de présent, c'est absent.

pressé, pressée

Être pressé, c'est être obligé de se dépêcher, c'est ne pas avoir beaucoup de temps : *papa est pressé, il avance à grands pas et me fait courir pour aller à l'école.*

prêt, prête

❶ Être prêt, c'est avoir fini de se préparer : *Benjamin a fini de s'habiller, il est prêt à partir.*

❷ Ce qui est prêt a été préparé : *le repas est prêt, allons manger !*

prêter

Prêter, c'est permettre à quelqu'un d'utiliser pour un certain temps une chose qu'on possède : *j'ai prêté un livre à Alexis pour les vacances.*
📖 Le contraire de prêter, c'est emprunter.

prévenir

Prévenir, c'est dire à l'avance : *maman a prévenu la maîtresse que je n'irai pas en classe demain.*
☀ On dit aussi avertir.

un prince, une princesse

Un prince est le fils d'un roi et d'une reine, une princesse est leur fille : *Blanche-Neige est une princesse.*

Lundi matin,
L'empereur, sa femme
et le p'tit prince
Sont venus chez moi
Pour me serrer
la pince...

le printemps

Le printemps est la saison qui vient après l'hiver et avant l'été : *au printemps, les plantes recommencent à pousser et les jours sont plus longs.*

un prix

❶ Le prix d'une chose, c'est ce qu'elle coûte, c'est l'argent qu'il faut donner pour l'acheter : *le prix des vêtements est marqué sur une étiquette.*

❷ Un prix, c'est une récompense donnée à celui qui gagne : *Antoine a gagné le premier prix au concours de châteaux de sable.*

prochain, prochaine

L'année prochaine, c'est l'année qui viendra après cette année : *l'année prochaine, j'irai à la grande école.*

⬚ Le contraire de l'année prochaine, c'est l'année dernière.

profond, profonde

Ce qui est profond a un fond qui est loin de la surface ou du bord : *quand la mer est trop profonde, maman me prend sur ses épaules.*

se promener

Se promener, c'est marcher dehors, pour son plaisir : *le dimanche, nous allons souvent nous promener dans les bois.*

Quand on se promène, on fait une promenade. Les personnes qui se promènent sont des promeneurs.

promettre

Promettre, c'est affirmer qu'on va faire ce que l'on a dit : *on ira au zoo mercredi, papi nous l'a promis.*

Quand on promet, on fait une promesse.

propre

Ce qui est propre n'a pas de taches ni de poussière : *je viens de me laver les mains, elles sont toutes propres.*

⬚ Le contraire de propre, c'est sale.

protéger

❶ Protéger une personne ou un animal, c'est empêcher qu'on leur fasse du mal : *la police est chargée de protéger les gens.*

☼ On dit aussi défendre.

❷ Protéger, c'est mettre à l'abri : *les parapluies protègent de la pluie ; les parasols protègent du Soleil.*

229

prudent, prudente

Être prudent, c'est faire très attention aux dangers : *Loan est très prudente : elle met son casque pour faire du vélo.*

📖 Le contraire de prudent, c'est imprudent.

punir

Punir quelqu'un, c'est le priver d'une chose agréable ou l'obliger à faire quelque chose qu'il n'aime pas parce qu'il s'est mal conduit : *Jules est puni, il n'a pas le droit de sortir.*

Punir, c'est donner une punition.

une publicité

Une publicité, c'est un petit film ou une affiche qui sont faits pour donner envie d'acheter quelque chose : *nous regardons les publicités à la télévision.*

un puzzle

Un puzzle, c'est un jeu fait de petits morceaux de carton ou de bois. On doit les assembler correctement pour former une image : *Mathieu a presque fini son puzzle.*

Qq Qq Rr Rr

ressembler

un robot

se retourner

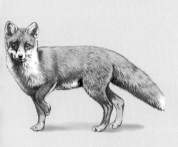

un renard

un ruban

une rose

des quilles

un roi une reine

remuer

rêver

un quai

Un quai, c'est une sorte de grand trottoir qui se trouve le long des rails, dans une gare, ou le long de l'eau, dans un port : *les pêcheurs déchargent leurs marchandises sur le quai.*

une qualité

Une qualité, c'est quelque chose de bien dans le caractère d'une personne : *la gentillesse et le courage sont des qualités.*

📖 Le contraire d'une qualité, c'est un défaut.

quelquefois

Quelquefois, c'est de temps en temps : *Fanny va quelquefois chez son amie Lola.*

💡 On dit aussi parfois.

la queue

❶ La queue d'un animal, c'est la partie du corps qui se trouve dans le bas du dos : *la vache remue la queue pour chasser les mouches.*

❷ La queue d'un fruit, c'est sa tige : *on cueille les cerises par la queue.*

une quille

Une quille, c'est un morceau de bois ou de plastique posé debout sur le sol et qu'on doit faire tomber avec une boule : *Lucie joue aux quilles.*

quitter

❶ Quitter un endroit, c'est partir de cet endroit : *quand le film est fini, les spectateurs quittent la salle.*

❷ Quitter une personne, c'est la laisser et partir : *il est tard, je vous quitte.*

une racine

La racine est la partie d'une plante qui se trouve dans la terre. Elle sert à la nourrir : *les arbres ont de grosses racines.*

raconter

❶ Raconter une histoire, c'est la dire ou la lire tout haut : *le soir, maman me raconte une histoire.*
❷ Raconter, c'est dire comment s'est passé quelque chose : *Maxime nous a raconté ses vacances.*

le raisin

Le raisin est le fruit de la vigne : *le raisin pousse en grappes vertes ou violettes.*

ralentir

Ralentir, c'est aller moins vite : *le train ralentit quand il entre en gare.*
🔲 Le contraire de ralentir, c'est accélérer.

ramasser

Ramasser, c'est prendre ce qui est par terre : *Théo et Marie ramassent des champignons et des châtaignes.*

*Nous n'irons plus au bois,
Les lauriers sont coupés,
La belle que voilà,
Ira les ramasser.*

ramper

Ramper, c'est avancer en glissant sur le ventre : *les escargots, les vers de terre et les serpents se déplacent en rampant.*

A B C D E F G H I J K L M N O P Q **R** S T U V W X Y Z

un rang

Un rang, c'est une suite de choses ou de personnes placées les unes à côté des autres : *au cinéma, Paul s'est assis au dixième rang.*

ranger

Ranger, c'est mettre les choses à leur place, à l'endroit où elles doivent être :
Vincent range ses crayons dans la boîte.

Quand on range, on fait du rangement.

rapide

Être rapide, c'est aller vite : *les voitures de course sont rapides.*
⬚ Le contraire de rapide, c'est lent.

se rappeler

Se rappeler quelque chose ou quelqu'un, c'est l'avoir gardé dans sa mémoire, c'est s'en souvenir : *je me rappelle bien cette chanson.*
⬚ Le contraire de se rappeler, c'est oublier.

un rat

Un rat est un animal qui a un museau pointu, une longue queue et qui ressemble à une grosse souris. Il ronge ses aliments : *les rats vivent dans les champs ou en ville, dans les caves et les égouts.*

La femelle est la rate.
Le petit est le raton.

rayé, rayée

❶ Ce qui est rayé a des bandes de couleur :
Baptiste porte un tee-shirt rayé.

Ce qui est rayé a des rayures.

❷ Ce qui est rayé a été abîmé par un objet pointu qui a laissé une trace :
la portière de la voiture est rayée.

un rayon

❶ Un rayon de soleil, c'est une longue bande de lumière qui part du Soleil : *les rayons du Soleil passent à travers les nuages.*

❷ Les rayons d'une roue, ce sont les tiges de métal qui partent du milieu de la roue : *les roues des bicyclettes ont des rayons.*

❸ Un rayon, c'est une partie d'un grand magasin où l'on trouve des marchandises de la même sorte : *j'aime bien le rayon des jouets.*

rebondir

Rebondir, c'est faire un bond après avoir touché le sol ou un mur : *Alexandre s'amuse à faire rebondir son ballon sur le sol.*

une recette

Une recette de cuisine, c'est une explication sur la façon de faire un plat : *maman fait un gâteau au chocolat en suivant une recette.*

récompenser

Récompenser, c'est faire un petit cadeau à quelqu'un parce qu'il a fait quelque chose de bien : *papa m'a offert un livre de contes pour me récompenser d'avoir été sage.*

⊞ Le contraire de récompenser, c'est punir.

> Récompenser, c'est donner une récompense.

reconnaître

Reconnaître une personne, c'est pouvoir dire qui elle est en la voyant : *on reconnaît bien Chloé sur cette photo.*

un rectangle

Un rectangle est une forme qui a quatre côtés, deux grands et deux petits : *Marin a dessiné des rectangles sur son cahier.*

reculer

Reculer, c'est aller en arrière : *Marie a reculé d'un pas quand le chien s'est approché d'elle.*

📖 Le contraire de reculer, c'est avancer.

Quand on recule, on va à reculons.

réfléchir

Réfléchir, c'est chercher dans sa tête ce qu'on va dire ou ce qu'on va faire : *Lucas réfléchit pour savoir par quel chemin il va faire passer la souris.*

refuser

Refuser, c'est ne pas vouloir : *l'âne est têtu, il refuse d'avancer.*

📖 Le contraire de refuser, c'est accepter.

regarder

Regarder, c'est tourner les yeux vers une personne ou vers une chose pour les voir : *regarde ! Un avion passe dans le ciel.*

une règle

❶ Une règle est un objet long qui sert à faire des traits bien droits ou à mesurer : *je prends une règle pour souligner les mots sur mon cahier.*

❷ La règle d'un jeu, c'est la façon d'y jouer, c'est ce qu'on a le droit de faire et ce qu'il est défendu de faire quand on joue : *mon frère m'a expliqué la règle du jeu de dames.*

a b c d e f g h i j k l m n o p q **r** s t u v w x y z

relier

Relier, c'est rattacher deux choses l'une à l'autre : *dans cet exercice, il faut relier par un trait les animaux avec ce qu'ils produisent.*

On dit aussi réunir.

remplacer

❶ Remplacer, c'est mettre une chose à la place d'une autre : *la lampe ne s'allume plus, papa remplace l'ampoule.*

On dit aussi changer.

❷ Remplacer, c'est faire le travail d'une personne à sa place : *quand la maîtresse est malade, quelqu'un la remplace.*

remplir

Remplir, c'est rendre plein : *Manon remplit son seau de sable.*

Le contraire de remplir, c'est vider.

remuer

❶ Remuer, c'est faire des mouvements, changer de place : *Fanny remue tout le temps.*

On dit aussi bouger.

❷ Remuer, c'est bouger une partie du corps : *le chien remue la queue quand il est content.*

❸ Remuer, c'est tourner pour mélanger : *François remue son chocolat au lait avec une cuillère.*

A B C D E F G H I J K L M N O P Q **R** S T U V W X Y Z

un renard

Un renard est un animal sauvage qui vit dans les bois. Il a une fourrure rousse, un museau pointu et une queue épaisse : *le renard s'abrite dans un terrier.*

> La femelle du renard est la renarde. Le petit est le renardeau.

> Tousse, tousse, tousse,
> Si le renard tousse,
> Lui faut de la mousse,
> Douce, douce, douce...

rencontrer

Rencontrer quelqu'un, c'est le trouver par hasard sur son chemin : *nous avons rencontré Éloïse au square.*

rendre

Rendre, c'est redonner à quelqu'un une chose qu'il nous a prêtée : *Luc rend à Julien ses crayons de couleur.*

rentrer

❶ Rentrer, c'est entrer dans un endroit d'où l'on est sorti : *les enfants rentrent en classe après la récréation.*

❷ Rentrer, c'est mettre à l'abri, à l'intérieur : *Chloé rentre son vélo car il va pleuvoir.*

📖 Le contraire de rentrer, c'est sortir.

réparer

Réparer, c'est remettre en état de marche ce qui était cassé ou abîmé : *le garagiste répare la voiture.*

> Quand on répare une chose, on fait une réparation.

un repas

Un repas, c'est la nourriture qu'on mange à certains moments de la journée : *le petit déjeuner, le déjeuner, le goûter et le dîner sont des repas.*

repasser

Repasser, c'est enlever les plis d'un vêtement ou d'un tissu avec un fer à repasser : *papa repasse sa chemise.*

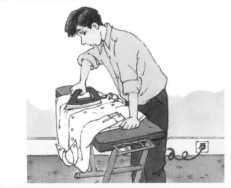

Repasser, c'est faire du repassage.

répéter

❶ Répéter, c'est dire encore une fois ce qu'on a déjà dit : *je te répète qu'on va être en retard !*
☼ On dit aussi redire.

❷ Répéter, c'est dire à quelqu'un ce que quelqu'un d'autre nous a dit : *Tom a répété mon secret à Inès !*

répondre

❶ Répondre, c'est dire quelque chose à une personne qui a posé une question : *veux-tu aller au cirque ? Réponds-moi, dis-moi oui ou non !*

Quand on répond à une question, on donne une réponse.

❷ Répondre, c'est écrire en retour à une personne qui a envoyé une lettre : *maman répond à la lettre de mamie.*

❸ Répondre, c'est décrocher le téléphone pour parler à la personne qui appelle : *le téléphone sonne ! Réponds, s'il te plaît.*

se reposer

Se reposer, c'est s'asseoir ou s'allonger et rester tranquille quand on est fatigué : *Nicolas a beaucoup joué et maintenant il se repose.*

Quand on se repose, on prend du repos.

239

un requin

Un requin est un très grand poisson avec des dents pointues qui vit dans les mers chaudes ou tièdes : *certains requins sont très féroces et peuvent dévorer de gros animaux marins.*

respirer

Respirer, c'est faire entrer de l'air dans ses poumons, puis le rejeter : *on respire par le nez ou par la bouche.*

> Le fait de respirer, c'est la respiration.

ressembler

Ressembler, c'est être presque pareil : *Thomas ressemble beaucoup à son frère aîné, on les confond souvent.*

rester

❶ Rester, c'est être quelque part et ne pas s'en aller : *Julie doit rester à la maison car elle est malade.*
❷ Quand il reste quelque chose, il y en a encore : *il reste une part de gâteau, qui la veut ?*

le retard

Être en retard, c'est arriver après l'heure prévue : *dépêchez-vous, on est en retard !*
⊞ Le contraire d'être en retard, c'est être en avance.

retourner

❶ Retourner, c'est aller de nouveau dans un endroit où l'on est déjà allé : *j'aimerais bien retourner à la mer cet été.*
❷ Retourner, c'est mettre de l'autre côté : *maman retourne le bifteck dans la poêle.*
❸ Se retourner, c'est tourner la tête ou faire demi-tour pour regarder en arrière : *Guillaume s'est retourné quand Pierre l'a appelé.*

réussir

Réussir, c'est arriver à faire quelque chose : *Zoé a réussi à faire du vélo sans les petites roues.*

un rêve

Un rêve, c'est une suite d'images qui passent dans la tête quand on dort. Il raconte souvent une histoire : *cette nuit, Lola a fait un beau rêve : elle rencontrait une fée...*

Faire un rêve, c'est rêver.

se réveiller

Se réveiller, c'est arrêter de dormir : *ce matin, je me suis réveillé avant tout le monde.*

▢ Le contraire de se réveiller, c'est s'endormir.

le rez-de-chaussée

Le rez-de-chaussée, c'est la partie d'une maison ou d'un immeuble qui est au niveau de la rue : *on n'a pas besoin de monter l'escalier pour aller au rez-de-chaussée.*

un rhinocéros

Un rhinocéros est un gros animal sauvage des pays chauds qui se nourrit d'herbe. Il a une peau grise très épaisse et une ou deux cornes sur le nez. Avec ses petits yeux, il voit très mal : *le rhinocéros se roule dans la boue pour se rafraîchir.*

A B C D E F G H I J K L M N O P Q **R** S T U V W X Y Z

riche

Une personne riche a beaucoup d'argent : *quand on est riche, on peut acheter des tas de choses.*
Le contraire de riche, c'est pauvre.

rire

Rire, c'est ouvrir la bouche et faire des petits bruits parce qu'on trouve quelque chose drôle, qu'on s'amuse : *Antoine rit aux éclats quand son grand-père fait le clown.*
Le contraire de rire, c'est pleurer.

une rivière

Une rivière, c'est un cours d'eau qui coule jusque dans un fleuve ou dans une autre rivière : *une rivière traverse la campagne, mais parfois aussi des villes et des villages.*

le riz

Le riz est une plante des pays chauds dont on mange les grains : *on fait pousser le riz dans des champs pleins d'eau appelés « rizières ».*

un robot

❶ Un robot, c'est une machine automatique qui peut faire certains travaux à la place d'une personne : *des robots sont utilisés dans les usines pour construire les voitures.*
❷ Un robot, c'est un jouet mécanique en métal ou en plastique. Il représente un être vivant qui a l'allure d'une machine : *Martin joue avec son robot.*

un rocher

Un rocher, c'est un énorme bloc de pierre : *les enfants aiment bien faire de l'escalade sur les rochers.*

un roi, une reine

Un roi et une reine sont les chefs d'un pays qu'on appelle un « royaume » : *dans les contes, les rois et les reines portent une couronne.*

un rond

Un rond a la forme d'un cercle, comme une roue : *pour écrire la lettre « o », on dessine d'abord un rond.*

On se met en rond pour faire la ronde.

rond, ronde

Ce qui est rond a la forme d'une roue ou d'une boule : *un ballon de football est rond ; les pièces de monnaie et les billes sont rondes.*

ronger

Ronger, c'est mordre avec ses dents en prenant de tout petits morceaux : *le lapin ronge une carotte.*

une rose

Une rose, c'est une fleur qui a de belles couleurs et des épines : *les roses sentent souvent très bon.*

Les roses poussent sur les rosiers.

A B C D E F G H I J K L M N O P Q **R** S T U V W X Y Z

une roue

Une roue, c'est un objet rond qui tourne. Il permet aux véhicules de rouler : *les voitures ont quatre roues ; les vélos ont deux roues.*

Une petite roue est une roulette.

rouler

❶ Rouler, c'est avancer en tournant sur soi-même : *la balle de Julie roule sur le sol.*

❷ Rouler, c'est avancer sur des roues : *les voitures, les vélos, les trains roulent.*

une route

Une route est un chemin recouvert de goudron qui permet aux véhicules d'aller d'une ville ou d'un village à l'autre : *les voitures, les camions, les motos circulent sur les routes.*

un ruban

Un ruban est une bande de tissu ou de papier coloré : *il y a un ruban jaune autour de la poule en chocolat.*

une rue

Une rue est un chemin recouvert de goudron qui permet aux piétons et aux voitures d'aller et venir, dans un village ou dans une ville. De chaque côté, il y a des maisons ou des immeubles : *il faut être très prudent quand on traverse la rue.*

Une rue étroite est une ruelle.

un ruisseau

Un ruisseau est une toute petite rivière : *Théo joue dans le ruisseau.*

S s $\mathcal{S}$ s

suivre

une semelle

des stylos

un singe

une sauterelle

une salade

du savon

souffler

un sapin

secouer

le sable

Le sable est fait de grains très fins, qui sont de minuscules morceaux de pierre ou de coquillages : *Étienne trace des lignes sur le sable avec son râteau.*

un sac

Un sac est un objet qui s'ouvre par le haut et qui sert à transporter des choses : *il y a des sacs en papier, en tissu, en plastique ou en cuir.*

Un petit sac est un sachet.

sage

❶ Être sage, c'est être calme et obéissant : *Léo est un enfant sage.*
⊞ Le contraire de sage, c'est désobéissant.
❷ On dit : « il est sage comme une image » quand quelqu'un est très sage.

saigner

Saigner, c'est avoir du sang qui coule d'une partie du corps : *Alexandra s'est coupée au doigt, elle saigne.*

une saison

Une saison, c'est une partie de l'année qui dure trois mois : *les quatre saisons de l'année sont le printemps, l'été, l'automne, l'hiver.*

👁 Va voir « le calendrier », p. 306.

une salade

Une salade est une plante. On mange ses feuilles crues avec de la vinaigrette : *la laitue est une salade.*

On sert la salade dans un saladier.

sale

Ce qui est sale est couvert de saleté, de taches ou de poussière : *Benjamin a joué dehors, il est tout sale.*

☀ On dit aussi dégoûtant.

🔁 Le contraire de sale, c'est propre.

Rendre sale, c'est salir.

la salive

La salive est le liquide qu'on a dans la bouche : *la salive aide à digérer les aliments.*

le sang

Le sang est un liquide rouge qui circule à l'intérieur du corps, dans les veines : *quand on se coupe, le sang coule.*

Perdre du sang, c'est saigner.

un sapin

Un sapin est un arbre qui reste vert toute l'année : *les sapins ont des feuilles pointues et dures ; ce sont les aiguilles.*

Mon beau sapin
Roi des forêts
Que j'aime ta verdure !

une sardine

Une sardine est un petit poisson qui vit en groupe dans la mer : *on pêche les sardines dans des filets.*

sauter

Sauter, c'est s'élever un instant au-dessus du sol et retomber sur ses pieds ou sur ses pattes : *le cheval saute par-dessus la haie.*

Sauter, c'est faire un saut.

A B C D E F G H I J K L M N O P Q R **S** T U V W X Y Z

une sauterelle

Une sauterelle est un insecte vert ou jaune qui a de longues antennes. Elle se déplace en sautant sur ses pattes de derrière : *on a du mal à voir les sauterelles dans l'herbe.*

> Saute, saute, sauterelle,
> à travers tout le quartier.
> Sautez donc, mademoiselle,
> puisque c'est votre métier.

sauvage

❶ Un animal sauvage vit en liberté dans la nature : *le sanglier est un animal sauvage.*

🔲 Le contraire de sauvage, c'est familier ou domestique.

❷ Une plante sauvage pousse toute seule dans la nature, elle n'est pas cultivée : *les boutons-d'or sont des fleurs sauvages.*

sauver

❶ Sauver, c'est faire échapper à un grave danger : *mon oncle a sauvé un enfant qui allait se noyer.*

❷ Se sauver, c'est partir vite : *la porte était ouverte, le chat s'est sauvé !*

☀ On dit aussi s'enfuir.

la savane

La savane, c'est une très grande prairie des pays chauds, où poussent de hautes herbes et quelques arbres : *en Afrique, de nombreux animaux vivent dans la savane.*

savoir

❶ Savoir, c'est avoir appris quelque chose et s'en souvenir : *Benjamin sait sa poésie par cœur.*

❷ Savoir, c'est être au courant : *je sais qu'on va bientôt déménager.*

❸ Savoir, c'est être capable de faire quelque chose : *je sais nager.*

un savon

Un savon est un produit qui sert à laver. Il fait de la mousse quand on le mouille : *Fanny frotte ses mains avec du savon.*

Un petit savon est une savonnette.

un seau

Un seau est un récipient en plastique ou en métal qu'on tient à la main par une anse. Il sert à transporter des liquides, du sable ou d'autres choses : *Julien apporte un seau d'eau pour laver la voiture.*

sec, sèche

Ce qui est sec ne contient pas d'eau : *mon tee-shirt est sec. La terre est sèche car il ne pleut pas.*
⊞ Le contraire de sec, c'est mouillé.

Rendre ou devenir sec, c'est sécher.

une seconde

Les secondes servent à mesurer un temps très court. Il y a soixante secondes dans une minute : *le sportif a couru le 100 mètres en dix secondes.*

secouer

Secouer, c'est faire bouger, c'est remuer dans tous les sens : *Lola secoue sa serviette pour enlever le sable.*
☼ On dit aussi agiter.

A B C D E F G H I J K L M N O P Q R **S** T U V W X Y Z

secours

❶ Porter secours, **c'est venir aider une personne en danger** : *les sauveteurs portent secours au nageur.*

Porter secours, c'est secourir.

❷ Appeler au secours, **c'est crier pour qu'on vienne nous aider parce qu'on est en danger** : *le nageur imprudent appelle au secours.*

un secret

Un secret, **c'est une chose qu'on sait et qu'on ne doit pas répéter** : *Antoine dit un secret à Valentine.*

le sel

Le sel, **c'est des petits grains blancs au goût un peu piquant qu'on met sur certains aliments** : *on met du sel sur les frites.*

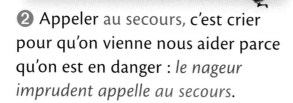

Mettre du sel c'est saler.

une semaine

Une semaine, **c'est sept jours, du lundi au dimanche** : *il y a 52 semaines dans une année.*

👁 Va voir « le calendrier », p. 306.

semblant

Faire semblant, **c'est faire comme si** : *Amélie fait semblant de dormir.*

une semelle

La semelle, **c'est le dessous d'une chaussure** : *les semelles des bottes de Maxime sont usées.*

semer

Semer, c'est mettre des graines dans la terre pour qu'elles donnent des plantes : *papa sème des graines pour faire pousser du gazon.*

séparer

❶ Séparer, c'est mettre loin l'une de l'autre des choses ou des personnes qui étaient ensemble : *la maîtresse a séparé Zoé et Axel parce qu'ils n'arrêtaient pas de parler.*
⊞ Le contraire de séparer, c'est réunir ou rapprocher.
❷ Se séparer, c'est arrêter de vivre ensemble : *les parents de Sébastien ne s'entendent plus, ils ont décidé de se séparer.*
☼ On dit aussi se quitter.

le sens

❶ Le sens, c'est le côté vers où l'on va : *dans la cour de l'école, les enfants courent dans tous les sens.*
☼ On dit aussi une direction.
❷ Le sens d'un mot, c'est ce que ce mot veut dire : *on cherche le sens d'un mot qu'on ne connaît pas dans le dictionnaire.*

un serpent

Un serpent est un animal sans pattes qui a un long corps couvert d'écailles. C'est un reptile qui se déplace en rampant : *la couleuvre, la vipère et le boa sont des serpents.*

sentir

❶ Sentir, c'est respirer une odeur avec son nez : *maman a fait un gâteau, on sent l'odeur du chocolat.*
❷ Sentir bon, c'est avoir une bonne odeur : *le muguet sent bon.*
⊞ Le contraire de sentir bon, c'est sentir mauvais.

serrer

Serrer, c'est tenir fort : *Clara serre son doudou contre elle.*

 Le contraire de serrer, c'est lâcher.

servir

❶ Servir, c'est remplir l'assiette ou le verre de quelqu'un : *mamie sert du poulet rôti à Jérémie.*

❷ Servir à quelque chose, c'est être utile à quelque chose : *les ciseaux servent à découper.*
❸ Se servir d'une chose ou d'un objet, c'est l'utiliser : *pour manger, on se sert d'une fourchette et d'un couteau.*

seul, seule

❶ Un seul, c'est un et pas plus : *j'ai deux sœurs, mais un seul frère.*
❷ Être seul, c'est être sans personne avec soi : *mon chien reste parfois seul dans la journée.*
❸ Faire quelque chose seul, c'est le faire sans l'aide de personne : *ma petite sœur mange toute seule.*

sévère

Être sévère, c'est se fâcher et punir facilement : *notre voisine est sévère, elle gronde ses enfants dès qu'ils font une bêtise !*

Le contraire de sévère, c'est indulgent.

le sexe

Le sexe, c'est ce qui fait la différence entre un garçon et une fille, un homme et une femme, un mâle et une femelle : *papa est du sexe masculin ; maman est du sexe féminin.*

un shampooing

Un shampooing, c'est un savon liquide qu'on utilise pour se laver les cheveux : *mon shampooing mousse beaucoup.*

une sieste

Faire la sieste, c'est se reposer et dormir un peu après le déjeuner : *papi fait la sieste dans l'herbe.*

siffler

Siffler, c'est faire des sons en soufflant entre ses lèvres : *Julien siffle pour faire venir son chien.*

signer

Signer, c'est écrire son nom au bas d'une lettre : *Nicolas signe la lettre pour sa grand-mère.*

Signer, c'est mettre sa signature.

le silence

❶ Le silence, c'est quand il n'y a pas de bruit : *la nuit, quand tout le monde dort, c'est le silence.*

▦ Le contraire du silence, c'est le bruit.

❷ Le silence, c'est quand personne ne parle : *les enfants écoutent la maîtresse en silence.*

Quand on garde le silence, on est silencieux.

simple

Une chose est simple quand elle ne demande pas beaucoup d'efforts : *la règle du jeu de l'oie est très simple à comprendre.*

☼ On dit aussi facile.

▦ Le contraire de simple, c'est compliqué.

un singe

Un singe est un animal sauvage qui vit dans les pays chauds : *le singe a des mains et des pieds terminés par des doigts ; il peut se tenir debout, comme une personne.*

La femelle du singe est la guenon.

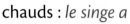

un sirop

❶ Le sirop est un médicament liquide et très sucré : *on prend du sirop pour arrêter de tousser.*
❷ Un sirop est un jus épais et sucré fait avec des fruits : *on mélange le sirop à de l'eau.*

un ski

Un ski est une sorte de planche qu'on fixe sous chaque pied pour glisser sur la neige ou sur l'eau : *Laure apprend à faire du ski.*

Une personne qui fait du ski est un skieur ou une skieuse.

une sœur

Une sœur est une fille qui a les mêmes parents qu'un autre enfant : *Chloé est la sœur de Nicolas.*

Nicolas est le frère de Chloé.

la soif

Avoir soif, c'est avoir envie de boire : *Manon a soif parce qu'il fait chaud.*

soigner

Soigner, c'est essayer de guérir une personne ou un animal malade ou blessé : *le médecin soigne Lucas qui s'est fait mal en tombant.*

le soir

Le soir, c'est la partie de la journée qui va de la fin de l'après-midi à la nuit : *nous dînons à sept heures du soir.*
📖 Le contraire du soir, c'est le matin.

le sol

❶ Le sol, c'est la terre : *quand un avion décolle, il quitte le sol.*

❷ Le sol, c'est la surface sur laquelle on marche, dans une pièce : *fais attention, il y a des morceaux de verre sur le sol de la cuisine !*

un soldat

Un soldat est un homme qui fait partie d'une armée. Il est chargé de défendre son pays quand il y a une guerre : *les soldats portent un uniforme.*

le Soleil

Le Soleil est un astre qui brille le jour dans le ciel. Il envoie sa lumière et sa chaleur à la Terre : *la Terre tourne autour du Soleil.*

solide

Ce qui est solide ne se casse pas facilement et ne s'use pas vite : *heureusement, la branche est solide !*

⊟ Le contraire de solide, c'est fragile.

le sommeil

Avoir sommeil, c'est avoir envie de dormir : *j'ai sommeil, je n'arrête pas de bâiller.*

A B C D E F G H I J K L M N O P Q R **S** T U V W X Y Z

le sommet

Le sommet, c'est l'endroit le plus haut : *il y a de la neige au sommet des montagnes.*

un son

Un son, c'est ce qu'on entend, c'est le bruit de quelque chose : *les instruments de musique n'ont pas tous le même son.*

sonner

❶ Sonner, c'est faire entendre un son : *lève-toi, le réveil sonne !*

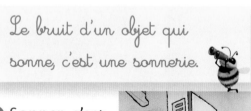

Le bruit d'un objet qui sonne, c'est une sonnerie.

❷ Sonner, c'est appuyer sur une sonnette : *le livreur de pizza sonne à la porte de la maison.*

une sonnette

Une sonnette, c'est un bouton spécial qui fait un son quand on appuie dessus : *j'ai entendu un coup de sonnette : c'est le livreur de pizza qui arrive !*

une sorcière

Une sorcière est un personnage féminin, laid et méchant, qui a des pouvoirs magiques. Il y a souvent des sorcières dans les contes : *la vilaine sorcière prépare de la soupe au crapaud.*

sortir

❶ Sortir, c'est aller dehors ou quitter un endroit : *Émilien est sorti jouer dans le jardin.*
▣ Le contraire de sortir, c'est entrer ou rentrer.

L'endroit par où l'on sort, c'est la sortie.

❷ Sortir, c'est enlever quelque chose d'un endroit : *j'ai sorti tous mes jouets du coffre.*
▣ Le contraire de sortir, c'est ranger.

souffler

❶ Souffler, c'est envoyer de l'air par la bouche : *Romain souffle fort pour éteindre ses bougies.*

❷ Quand le vent souffle, il y a beaucoup de vent : *on a parfois du mal à marcher quand le vent souffle.*

souhaiter

❶ Souhaiter, c'est avoir envie de quelque chose : *mamie souhaite inviter toute la famille pour Noël.*
💡 On dit aussi désirer.

> Ce qu'on souhaite est un souhait.

❷ Souhaiter, c'est dire à quelqu'un qu'on espère qu'il aura ce qu'il désire : *je te souhaite de bonnes vacances.*

soulever

Soulever, c'est lever à une petite hauteur : *ma valise est très lourde, j'ai du mal à la soulever.*

souple

❶ Ce qui est souple se plie facilement sans se casser : *le caoutchouc est souple.*

❷ Une personne souple plie facilement son corps et peut se mettre sans effort dans de nombreuses positions : *Mathilde est très souple, elle arrive à faire le grand écart.*

⊞ Le contraire de souple, c'est raide.

une souris

❶ Une souris est un petit animal gris, parfois blanc, qui a un museau pointu et une longue queue : *les souris vivent dans les champs, mais aussi dans les maisons ou les greniers.*

> Le petit est le souriceau.

❷ Une souris, c'est une sorte de petite boîte reliée à un ordinateur : *on fait glisser la souris pour se déplacer sur l'écran de l'ordinateur.*

A B C D E F G H I J K L M N O P Q R **S** T U V W X Y Z

sous

Ce qui est sous quelque chose se trouve plus bas que cette chose : *Filou est couché sous la table.*

Le contraire de sous, c'est sur.

le sous-sol

Le sous-sol, c'est la partie d'une maison ou d'un immeuble qui est située sous le rez-de-chaussée : *la cave se trouve au sous-sol.*

se souvenir

Se souvenir, c'est avoir gardé dans sa mémoire : *je me souviens très bien du jour où je suis allé au zoo pour la première fois.*

On dit aussi se rappeler.

Le contraire de se souvenir, c'est oublier.

un spectacle

Un spectacle, c'est ce qu'on va voir pour son plaisir au cinéma, au théâtre ou au cirque : *pour la fête de l'école, les enfants donnent un spectacle.*

Une personne qui regarde un spectacle est un spectateur ou une spectatrice.

le sport

Le sport, c'est un jeu ou une activité qui fait travailler les muscles : *le judo et le football sont des sports.*

Une personne qui fait du sport est un sportif ou une sportive.

un square

Un square, c'est un petit jardin public où tout le monde peut aller, dans une ville : *dans un square, il y a souvent un bac à sable et des jeux.*

un stade

Un stade, c'est un grand terrain de sport où l'on s'entraîne et où se déroulent des matchs et des compétitions : *les coureurs s'entraînent sur le stade.*

un stylo

Un stylo est un petit objet long qui contient de l'encre et qui sert à écrire : *il y a des stylos à bille et des stylos à plume.*

sucer

❶ Sucer, c'est faire fondre un aliment dans sa bouche sans le croquer : *Charlotte suce un bonbon.*

Un bonbon à sucer fixé sur un bâton est une sucette.

❷ Sucer son pouce, c'est le mettre dans sa bouche et le téter : *Thomas suce encore son pouce !*

le sucre

Le sucre est une matière blanche au goût très doux qu'on met dans les aliments et les boissons : *Alexis met du sucre en poudre sur ses crêpes.*

suivre

❶ Suivre, c'est avancer derrière : *le chien suit Pierre en courant.*

❷ Suivre, c'est venir après : *l'hiver est la saison qui suit l'automne.*
❸ Se suivre, c'est être placés les uns derrière les autres : *dans une bande dessinée, les images se suivent.*

un supermarché

Un supermarché, c'est un grand magasin où l'on vend toutes sortes de choses et où les clients se servent eux-mêmes : *le samedi, papa et maman vont faire les courses au supermarché.*

sur

Ce qui est sur quelque chose est placé au-dessus de cette chose : *il y a un bouquet de fleurs sur la table.*
Le contraire de sur, c'est sous.

surgelé, surgelée

Un aliment surgelé est un aliment qu'on garde à une température très basse pour le manger plus tard : *il y a une pizza surgelée dans le congélateur.*

une surprise

Une surprise, c'est un cadeau qu'on ne connaît pas à l'avance ou bien quelque chose qui arrive et qu'on n'attendait pas : *voilà Nassera, quelle bonne surprise !*

surveiller

Surveiller quelqu'un, c'est bien regarder ce qu'il fait pour qu'il ne lui arrive rien ou pour l'empêcher de faire quelque chose de mal : *Anaïs surveille sa petite sœur pendant que sa maman fait les courses.*

une syllabe

Une syllabe, c'est une lettre ou un groupe de lettres qu'on prononce d'un seul coup : *le mot « abeille » a deux syllabes : « a » et « beille ».*

Tt T t

tourner

des taches

des tas

la taille

une tarte

un tigre

trouver

des tulipes

un toboggan

le tabac

Le tabac, c'est une plante qui a de grandes feuilles. On les coupe et on les fait sécher pour les fumer : *avec le tabac, on fabrique des cigarettes et des cigares.*

> On achète le tabac dans un bureau de tabac.

> J'ai du bon tabac
> Dans ma tabatière,
> J'ai du bon tabac,
> Tu n'en auras pas !

une table

❶ Une table est un meuble fait d'un plateau posé sur des pieds : *on s'assoit autour d'une table pour manger.*

❷ Mettre la table, c'est poser sur la table tout ce qu'il faut pour le repas : *Gauthier aide maman à mettre la table.*

un tableau

❶ Un tableau, c'est une peinture, souvent entourée d'un cadre. On l'accroche au mur : *il y a un tableau sur le mur du salon.*

❷ Un tableau, c'est un grand panneau vert foncé ou noir accroché au mur d'une classe. On écrit dessus avec une craie : *la maîtresse écrit le prénom des élèves au tableau.*

une tache

❶ Une tache est une trace sale laissée par quelque chose : *Aline a fait des taches sur sa robe.*

> Un vêtement qui a des taches est taché.

❷ Une tache est une petite marque de couleur différente sur la peau : *Marie a des taches de rousseur sur la figure.*

la taille

❶ La taille, c'est la hauteur d'une personne ou la grandeur d'une chose : *quand je vais chez le médecin, il mesure ma taille.*

❷ La taille, c'est la partie du corps qui se trouve entre le bas des côtes et les hanches : *Annaelle a mis un joli foulard rouge autour de sa taille.*

se taire

Se taire, c'est arrêter de parler : *quand le spectacle commence, tout le monde se tait.*

un tambour

Un tambour est un instrument de musique qui a la forme d'un cylindre : *on frappe sur le tambour avec deux baguettes pour faire des sons.*

Un petit tambour est un tambourin.

une tante

La tante d'une personne, c'est la sœur de sa mère ou la sœur de son père : *j'appelle ma tante « tata ».*

Le frère de la mère ou du père, c'est l'oncle.

taper

Taper, c'est donner des coups : *on tape sur un clou avec un marteau.*
☀ On dit aussi frapper.

J'ai vu le loup, le renard et la belette, j'ai vu le loup et le renard danser. J'les ai vus taper du pied.

tard

❶ Tard, c'est à un moment situé vers la fin de la journée : *il est tard, allons nous coucher !*

❷ Tard, c'est après l'heure habituelle : *le dimanche, je me lève tard.*
▦ Le contraire de tard, c'est tôt.

une tarte

Une tarte est un gâteau fait avec une pâte recouverte de fruits ou de légumes et cuite au four : *mamie a fait une tarte aux framboises.*

un tas

❶ Un tas, c'est un ensemble de choses mises les unes sur les autres, un peu n'importe comment : *le jardinier a fait des tas avec les feuilles mortes.*

❷ Un tas, c'est une grande quantité, un grand nombre : *Louise a des tas de jouets.*

une tasse

Une tasse est un récipient qui sert à boire. Elle est plus petite qu'un bol et elle a une petite anse : *on boit le café et le thé dans une tasse.*

un taureau

Un taureau est un gros animal avec des cornes. On l'élève à la ferme : *un taureau peut être méchant, il faut s'en méfier.*

La femelle est la vache.
Le petit est le veau.

un téléphone

Un téléphone est un appareil qui permet de parler avec une personne qui n'est pas au même endroit que nous : *maman est au téléphone avec une amie.*

Parler à quelqu'un au téléphone, c'est téléphoner.

la température

❶ La température, c'est la mesure de la chaleur ou du froid qu'il fait dans un endroit : *quand il fait froid, la température est basse ; quand il fait chaud, elle est haute.*

❷ La température, c'est la mesure de la chaleur du corps : *on prend sa température avec un thermomètre.*

le temps

❶ Le temps qui passe se mesure en heures, en minutes, en secondes : *les montres et les horloges mesurent le temps qui passe.*

❷ Le temps qu'il fait, c'est la couleur du ciel et la chaleur de l'air : *il pleut ! Quel mauvais temps !*

tendre

❶ Tendre, c'est tirer sur une chose pour la rendre droite ou pour l'allonger : *papa a tendu une corde entre deux arbres pour suspendre le linge.*

❷ Tendre, c'est allonger au maximum ou avancer une partie du corps : *Aziz tend le bras avant de tourner.*

tendre

❶ Une personne tendre est douce et elle aime les câlins : *Raphaël est un petit garçon très tendre.*

☀ On dit aussi affectueux.

❷ Une viande tendre est facile à couper et à mâcher : *j'aime le bifteck quand il est bien tendre.*

▣ Le contraire de tendre, c'est dur.

tenir

❶ Tenir, c'est garder dans sa main ou dans ses bras sans faire tomber : *Mathis tient bien son biberon.*

▣ Le contraire de tenir, c'est lâcher.

❷ Tenir, c'est rester attaché ou fixé : *le miroir tient par un crochet.*

❸ Se tenir, c'est rester dans une position : *tiens-toi droit quand tu manges !*

une tente

Une tente, c'est une sorte de petite maison en toile imperméable. On l'installe dehors pour camper : *Carole aide son frère à monter la tente sur le terrain de camping.*

un terrain

Un terrain, c'est une étendue de terre plus ou moins grande : *nous jouons au ballon sur le terrain de sport.*

la terre

❶ La Terre, c'est la planète où nous vivons. Elle est ronde : *la Terre tourne autour du Soleil.*
❷ La terre, c'est la matière dont est fait le sol : *on cultive la terre pour faire pousser des plantes.*
❸ Par terre, c'est sur le sol : *Fanny s'est assise par terre pour jouer.*

un thermomètre

Un thermomètre est un instrument qui sert à mesurer la température : *certains thermomètres mesurent la température de l'air et d'autres celle du corps.*

tiède

Quand quelque chose est tiède, sa température est entre le froid et le chaud : *l'eau de la piscine est tiède, c'est parfait pour nager !*

une tige

La tige d'une plante, c'est la partie longue et fine qui porte les fleurs et les feuilles : *mamie coupe la tige des roses avec un sécateur.*

un tigre

Un tigre est un animal sauvage qui vit dans la jungle, en Asie. Son pelage est jaune-roux rayé de noir : *le tigre avance sans bruit pour chasser.*

La femelle du tigre est la tigresse.

un timbre

Un timbre est un tout petit rectangle de papier illustré qu'on colle sur une enveloppe ou sur un colis avant de les envoyer. Il sert à payer le transport du courrier : *il y a de jolis timbres sur ces lettres.*

Mme Dupont
56 rue du marché
36000 Saint-Aubin

timide

Être timide, c'est ne pas oser parler aux autres : *Éva est timide, elle rougit quand on lui pose une question.*

une tirelire

Une tirelire, c'est un objet avec une ouverture étroite où l'on glisse l'argent qu'on ne veut pas dépenser tout de suite : *Anaïs a vidé sa tirelire pour faire un cadeau à sa maman.*

tirer

❶ Tirer, c'est faire venir vers soi : *pour ouvrir un tiroir, il faut le tirer.*
▦ Le contraire de tirer, c'est pousser.
❷ Tirer, c'est traîner derrière soi : *la voiture tire la caravane.*
❸ Tirer, c'est envoyer des balles avec un pistolet ou un fusil : *le chasseur a tiré sur un canard.*

un tissu

Un tissu est fabriqué avec un grand nombre de fils croisés les uns avec les autres : *les vêtements sont en tissu.*

un toboggan

Un toboggan, c'est une sorte de piste en pente. On s'assoit en haut et on se laisse glisser dessus pour jouer : *les enfants font du toboggan.*

la toilette

Faire sa toilette, c'est se laver : *va vite faire ta toilette, tu vas être en retard !*

un toit

Le toit, c'est le dessus d'une maison. Il la recouvre et la protège : *les toits de ces maisons sont faits de tuiles rouges.*

une tomate

Une tomate est un fruit rond et rouge. On la mange crue ou cuite comme un légume : *les tomates poussent sur une plante qu'on peut cultiver dans un jardin.*

tomber

❶ Tomber, c'est être entraîné vers le sol : *Paul est tombé de son vélo.*

❷ Tomber, c'est descendre vers le sol : *les feuilles tombent en automne.*

❸ Tomber malade, c'est devenir malade tout à coup : *Antonin est tombé malade pendant les vacances.*

le tonnerre

Le tonnerre, c'est le bruit qu'on entend pendant un orage : *on entend des coups de tonnerre, un orage va éclater.*

une tortue

Une tortue est un animal qui a le corps protégé par une carapace dure, quatre pattes courtes et une petite queue : *certaines tortues vivent sur la terre, d'autres vivent dans l'eau.*

tôt

❶ Tôt, c'est à un moment situé vers le début de la journée : *grand-père se lève tôt, il est debout à six heures !*

❷ Tôt, c'est avant l'heure habituelle : *hier soir, je me suis couché très tôt.*

☀ On dit aussi de bonne heure.

📖 Le contraire de tôt, c'est tard.

toucher

❶ Toucher, c'est mettre les doigts ou la main sur quelqu'un ou bien sur quelque chose : *maman touche mon front pour voir si j'ai de la fièvre.*

❷ Se toucher, c'est être juste à côté l'un de l'autre : *notre maison et celle des voisins se touchent.*

une tour

❶ Une tour est une construction en pierre, haute et étroite : *les châteaux forts ont des tours rondes ou carrées.*

❷ Une tour, c'est un immeuble très haut avec de nombreux étages : *j'habite dans une tour de 20 étages.*

un tour

❶ Un tour, c'est un mouvement en rond sur soi-même : *la toupie fait des tours sur elle-même.*

❷ Faire le tour d'un endroit, c'est tourner autour en revenant à son point de départ : *nous avons fait le tour du lac à pied.*

❸ Un tour, c'est une petite promenade : *je suis allée faire un tour dans le parc.*

❹ Chacun à son tour, c'est l'un après l'autre : *quand on fait du toboggan, on passe chacun à son tour.*

tourner

❶ Tourner, c'est se déplacer en rond : *le vent fait tourner mon moulin à vent.*

❷ Tourner, c'est changer de direction : *la route tourne à droite.*

L'endroit où une route tourne s'appelle un tournant.

tousser

Tousser, c'est rejeter de l'air par la bouche avec un bruit qui vient de la gorge : *on tousse quand on a la grippe.*

> *La toux est le bruit qu'on fait quand on tousse.*

un train

❶ Un train, c'est une suite de wagons tirés par une locomotive. Il sert à transporter des personnes ou des marchandises : *nous avons pris le train pour aller à la montagne.*

❷ Être en train de faire quelque chose, c'est être occupé à faire cette chose : *je suis en train de dessiner.*

un trait

Un trait, c'est une petite ligne : *pour tirer des traits bien droits, je prends une règle.*

un trajet

Un trajet, c'est le chemin qu'on doit faire pour aller d'un endroit à un autre : *Théa dessine le trajet pour aller de chez elle à la piscine.*

tranquille

❶ Être tranquille, c'est ne pas s'agiter et ne pas faire de bruit : « *Restez tranquilles !* » *dit la maîtresse.*
On dit aussi calme.

❷ Un endroit tranquille est un endroit où il n'y a pas de bruit : *j'aime bien lire dans un endroit tranquille.*

❸ Laisser quelqu'un tranquille, c'est ne pas l'ennuyer : *laisse-moi tranquille, j'apprends mes leçons !*

transformer

Transformer, **c'est rendre différent, c'est donner une autre forme** : *la fée a transformé la citrouille en carrosse.*
☀ On dit aussi changer.

transporter

Transporter, **c'est porter ou faire aller d'un endroit à un autre** : *un gros avion peut transporter 400 voyageurs.*

un travail

❶ Un travail, **c'est ce qu'on fait pour gagner de l'argent** : *papa est pilote d'avion, c'est son travail.*
☀ On dit aussi un métier.

> Avoir un travail, c'est travailler.

❷ Un travail, **c'est ce qu'on a à faire** : *ma grande sœur a du travail : elle fait ses devoirs.*

❸ Faire des travaux, **c'est faire des réparations** : *les ouvriers font des travaux dans l'immeuble.*

traverser

❶ Traverser, **c'est passer d'un côté à l'autre** : *on peut traverser la rue quand le feu est rouge.*

❷ Traverser, **c'est passer à travers** : *on raconte que les fantômes peuvent traverser les murs.*

tremper

❶ Tremper, **c'est mettre dans l'eau ou dans un autre liquide** : *j'aime bien tremper ma tartine dans mon chocolat.*

❷ Être trempé, **c'est être tout mouillé** : *Julien a arrosé Sarah, elle est toute trempée !*

un trésor

Un trésor, c'est de l'argent et des objets précieux qui ont été cachés : *on a trouvé le trésor du pirate : un coffre rempli de pièces d'or et de bijoux.*

un triangle

Un triangle est une forme qui a trois côtés : *Romain a dessiné des triangles sur son cahier.*

tricher

Tricher, c'est ne pas respecter la règle d'un jeu pour essayer de gagner : *tu n'as pas le droit de regarder mes cartes, tu triches !*

Une personne qui triche est un tricheur ou une tricheuse.

triste

Être triste, c'est avoir du chagrin, c'est avoir envie de pleurer : *Alexis est triste parce qu'il doit changer d'école.*

On dit aussi malheureux.

Le contraire de triste, c'est gai.

La tristesse, c'est ce qu'on ressent quand on est triste.

se tromper

Se tromper, c'est faire une erreur : *Lucas s'est trompé, il a pris la veste de son petit frère.*

une trompette

Une trompette est un instrument de musique en métal : *on souffle dans la trompette pour faire des sons.*

Une personne qui joue de la trompette est un ou une trompettiste.

un tronc

❶ Le tronc d'un arbre, c'est la partie qui va des racines jusqu'aux branches. Il est couvert d'écorce : *le bûcheron coupe les troncs d'arbre.*

❷ Le tronc, c'est la partie du corps qui va du cou au bas du ventre : *mon ours en peluche n'a plus de tête ni de bras ni de jambes, il ne reste que le tronc.*

une trottinette

Une trottinette est faite d'une partie plate et allongée, montée sur deux roues, et d'un guidon : *Loan fait de la trottinette.*

un trou

❶ Un trou, c'est un endroit creux dans le sol : *le jardinier creuse un trou pour planter un arbre.*

❷ Un trou, c'est une partie déchirée dans du tissu ou dans du papier : *Jimmy a un trou à sa chaussette.*

Un vêtement qui a un trou est troué.

un troupeau

Un troupeau, c'est un groupe d'animaux de la même espèce qui vivent ensemble : *il y a un troupeau de vaches dans le pré.*

273

trouver

❶ Trouver, c'est découvrir par hasard ou en cherchant : *Pierre a trouvé sa chaussette sous le lit !*
📖 Le contraire de trouver, c'est perdre.

❷ Trouver, c'est penser : *je trouve que mon dessin est très réussi.*
❸ Se trouver, c'est être à un endroit : *la piscine se trouve près de l'école.*

un tube

Un tube, c'est un objet long et souple, fermé par un bouchon. Il contient un produit : *il faut appuyer sur le tube pour faire sortir le dentifrice.*

tuer

Tuer, c'est faire mourir : *le chat a tué une souris.*

une tulipe

Une tulipe, c'est une fleur qui a une longue tige et des couleurs vives : *les tulipes poussent au printemps.*

un tunnel

Un tunnel est un passage creusé sous la terre ou dans la montagne pour faire passer une route ou des rails : *les voitures passent dans le tunnel.*

un tuyau

Un tuyau est un long tube qui sert à faire passer de l'eau ou du gaz : *le tuyau d'arrosage est resté ouvert.*

Uu 𝒰u Vv 𝒱v

des vis

la vaisselle

usé

voler

une vache

des verres

le vent

un voyage

un uniforme

Un uniforme est un vêtement particulier que certaines personnes portent pour travailler : *dans un avion, les hôtesses de l'air et les stewards portent un uniforme.*

urgent, urgente

Ce qui est urgent ne peut pas attendre : *maman a une course urgente à faire.*

usé, usée

Une chose usée est abîmée parce qu'elle a beaucoup servi : *mon pull est usé aux coudes.*

une usine

Une usine, c'est un bâtiment où l'on fabrique toutes sortes de choses à l'aide de machines et de robots : *les voitures sont fabriquées dans des usines.*

utile

Ce qui est utile sert à quelque chose : *un parapluie est utile quand il pleut.*

Le contraire d'utile, c'est inutile.

utiliser

Utiliser, c'est se servir de quelque chose : *on peut utiliser une calculatrice pour faire des opérations difficiles.*

les vacances

Les vacances, ce sont les jours où l'on ne travaille pas et où l'on ne va pas à l'école : *je passe mes vacances chez mes cousins.*

une vache

Une vache est un gros animal de la ferme : *on élève la vache pour son lait et sa viande.*

Le mâle est le taureau.
Le petit est le veau.

une vague

Une vague, c'est l'eau de la mer ou d'un lac agitée par le vent : *on fait du surf sur les vagues.*

la vaisselle

La vaisselle, ce sont les objets qui servent à manger et à préparer les repas : *il y a beaucoup de vaisselle à laver dans l'évier.*

une valise

Une valise, c'est un bagage rectangulaire avec un couvercle. On la tient par une poignée. Elle sert à mettre les vêtements qu'on emporte en voyage : *Margaux emporte une petite valise pour les vacances.*

A B C D E F G H I J K L M N O P Q R S T U **V** W X Y Z

un veau

Un veau est une jeune vache :
le veau tète sa mère.

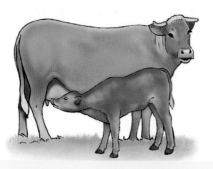

La mère du veau est la vache, son père, le taureau.

vendre

Vendre, c'est donner quelque chose en échange d'une somme d'argent : *le poissonnier vend du poisson.*
▣ Le contraire de vendre, c'est acheter.

Une personne qui vend est un vendeur ou une vendeuse.

venir

❶ Venir, c'est aller dans un endroit : *mon copain Tom doit venir chez nous pour le week-end.*
❷ Venir, c'est arriver d'un endroit : *l'avion qui atterrit vient de Londres.*
❸ Venir de faire quelque chose, c'est l'avoir fait très peu de temps avant : *tu arrives trop tard, Léo vient de partir !*

le vent

Le vent, c'est de l'air qui bouge : *le vent souffle très fort aujourd'hui, il soulève ma jupe.*

V'là l'bon vent, v'là l'joli vent,
V'là l'bon vent, ma mie m'appelle
V'là l'bon vent, v'là l'joli vent,
V'là l'bon vent, ma mie m'attend...

un ver de terre

Un ver de terre est un petit animal sans pattes qui a un corps long, fin et mou. Il vit dans la terre : *les vers de terre rampent pour avancer.*

la vérité

La vérité, c'est ce qui est vrai, c'est ce qui s'est réellement passé :
As-tu pris le jouet de ton frère ? Dis-moi la vérité, ne mens pas !
⧉ Le contraire de la vérité, c'est le mensonge.

un verre

❶ Le verre est une matière dure et transparente. Il se casse facilement : *les vitres des fenêtres sont en verre.*
❷ Un verre est un récipient en verre qui sert à boire : *il y a des verres à eau et des verres à vin.*

verser

Verser, c'est faire couler un liquide dans un récipient : *maman verse de l'huile dans le saladier.*

un vêtement

Un vêtement, c'est ce qu'on met pour couvrir son corps et le protéger du froid, du soleil ou de la pluie : *en hiver, on porte des vêtements chauds.*
💡 On dit aussi un habit.
👁 Va voir « les vêtements », p. 305.

un vétérinaire, une vétérinaire

Un vétérinaire et une vétérinaire sont des médecins qui soignent les animaux : *mon chien s'est cassé la patte, le vétérinaire lui met un bandage.*

la viande

La viande, c'est la chair, c'est-à-dire les muscles du corps des animaux qu'on mange : *on achète la viande chez le boucher.*

vide

Ce qui est vide ne contient rien. Il n'y a rien à l'intérieur : *on a mangé tous les bonbons, la boîte est vide.*

⊞ Le contraire de vide, c'est plein.

vider

Vider, c'est rendre vide : *les ouvriers vident le camion.*

⊞ Le contraire de vider, c'est remplir.

la vie

La vie, c'est le temps qui passe entre le moment où l'on naît et le moment où l'on meurt : *grand-père a passé toute sa vie à la campagne.*

vieux, vieille

❶ Être vieux, être vieille, c'est avoir un grand nombre d'années : *notre voisin est vieux, il a 90 ans.*

⊞ Le contraire de vieux, c'est jeune.

Devenir vieux, c'est vieillir. Le moment de la vie où l'on est vieux, c'est la vieillesse.

❷ Ce qui est vieux existe depuis longtemps ou a beaucoup servi : *papa a mis des vieux vêtements pour faire du bricolage.*

⊞ Le contraire de vieux, c'est neuf ou nouveau.

un village

Un village, c'est un groupe de maisons à la campagne. Un village est plus petit qu'une ville : *mes grands-parents habitent un petit village perché sur une colline.*

une ville

Une ville, c'est un endroit où il y a un grand nombre de rues, de maisons, d'immeubles, de magasins. Elle est plus grande qu'un village : *il y a beaucoup de voitures dans une ville.*

le vin

Le vin, c'est une boisson qui est faite avec du jus de raisin et qui contient de l'alcool : *il existe du vin rouge, du vin blanc et du vin rosé.*

un violon

Un violon est un instrument de musique en bois qui a quatre cordes : *on frotte les cordes du violon avec un archet pour faire des sons.*

Quelqu'un qui joue du violon est un ou une violoniste.

un virage

Un virage, c'est l'endroit où la route tourne : *en voiture, il ne faut pas aller vite dans les virages.*
On dit aussi un tournant.

une vis

Une vis est une pointe en métal. Elle sert à assembler ou à fixer des planches : *on enfonce des vis en tournant avec un tournevis.*

Enfoncer une vis dans quelque chose, c'est visser.

le visage

Le visage est le devant de la tête. Il va du front au menton : *le nez est au milieu du visage.*
On dit aussi la figure.

A B C D E F G H I J K L M N O P Q R S T U **V** W X Y Z

visiter

Visiter un endroit, c'est aller dans un endroit pour regarder tout ce qu'il y a d'intéressant à voir : *la maîtresse nous a emmenés visiter un château.*

vite

Vite, c'est en peu de temps : *Nicolas s'est habillé vite.*
☼ On dit aussi rapidement.
⊞ Le contraire de vite, c'est lentement.

une vitrine

Une vitrine, c'est la partie d'un magasin qui est juste derrière la vitre. Elle sert à montrer les marchandises à vendre : *à Noël, les vitrines sont toutes décorées.*

vivant, vivante

Être vivant, c'est respirer et avoir le cœur qui bat : *l'oiseau est blessé, mais il est encore vivant.*
⊞ Le contraire de vivant, c'est mort.

vivre

❶ Vivre, c'est être vivant, être en vie : *le cœur de l'oiseau bat, il vit encore !*
❷ Vivre, c'est passer sa vie dans un endroit : *je vis en banlieue.*

un voilier

Un voilier, c'est un bateau à voiles : *le vent fait avancer le voilier en soufflant dans les voiles.*

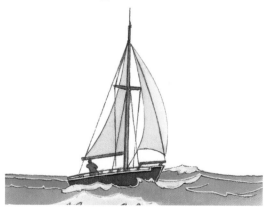

voir

❶ On voit ce qui nous entoure avec nos yeux : *je vois beaucoup mieux quand je mets mes lunettes.*

❷ Aller voir quelqu'un, c'est lui rendre visite, c'est passer un moment avec lui : *je vais voir mes grands-parents chaque semaine.*
❸ Faire voir, c'est montrer : *Loïc m'a fait voir ses petites voitures.*

un voisin, une voisine

Un voisin et une voisine sont des personnes qui habitent à côté : *papa parle avec notre nouveau voisin.*

une voiture

Une voiture est un véhicule qui a quatre roues et un moteur : *mes parents ont acheté une voiture.*
☼ On dit aussi une automobile ou une auto.

la voix

La voix, c'est l'ensemble des sons qui sortent de la bouche quand on parle ou quand on chante : *grand-mère arrive, j'entends sa voix.*

le volant

Le volant, c'est un objet en forme de cercle qui sert à diriger un véhicule : *le conducteur tourne le volant pour aller vers la droite ou vers la gauche.*

un volcan

Un volcan, c'est une montagne avec un grand trou au sommet, d'où peuvent sortir des matières brûlantes, comme des pierres, de la lave ou des cendres : *la lave s'écoule du volcan.*

voler

❶ Voler, c'est se déplacer dans l'air : *les deltaplanes sont des machines qui volent.*

❷ Voler, c'est prendre une chose qui appartient à quelqu'un d'autre : *qui m'a volé ma bicyclette ?*

Une personne qui vole est un voleur ou une voleuse.

vouloir

❶ Vouloir, c'est avoir envie de quelque chose : *les parents de Charlotte veulent déménager.*
☼ On dit aussi désirer.
❷ Vouloir, c'est être d'accord : *je veux bien te prêter mon livre.*
Le contraire de vouloir, c'est refuser.

un voyage

Faire un voyage, c'est partir pour un certain temps dans un autre pays ou une autre région : *Victor fait un voyage en Égypte avec ses parents.*

Une personne qui fait un voyage est un voyageur ou une voyageuse.

vrai, vraie

Quelque chose est vrai quand c'est la vérité, quand cela s'est réellement passé : *c'est vrai, je ne mens pas !*
Le contraire de vrai, c'est faux.

Ww Xx Yy Zz

un xylophone

des yaourts

les yeux

un zèbre

un zoo

un Yo-Yo

un wagon

Un wagon, c'est une partie d'un train. Il sert à transporter des personnes ou des marchandises : *les wagons sont tirés par la locomotive.*

le week-end

Le week-end, c'est la fin de la semaine, c'est le samedi et le dimanche : *pendant le week-end, on va souvent se promener en forêt.*

un xylophone

Un xylophone est un instrument de musique. Il est fait de petites plaques en bois disposées les unes à côté des autres : *on frappe sur les plaques du xylophone avec des baguettes pour faire des sons.*

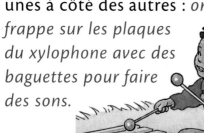

un yaourt

Un yaourt, c'est un aliment fait avec du lait, comme le fromage blanc et les petits-suisses. Il y a des yaourts nature et des yaourts aux fruits : *les yaourts sont vendus dans des petits pots.*
☼ On dit aussi un yogourt.

les yeux

Les yeux permettent de voir. Ils se trouvent sous le front, de chaque côté du nez : *Clara a mis son bonnet et son écharpe si bien qu'on ne voit plus que ses yeux.*

On dit un œil, mais deux yeux.

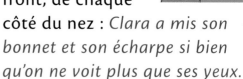

Aïe ! Ouille !
Ça fait mal !
J'ai les yeux qui mouillent
Comme une grenouille !

un Yo-Yo

Un Yo-Yo, c'est un petit jouet qu'on fait monter et descendre le long d'une ficelle : *Angèle joue au Yo-Yo.*

un zèbre

Un zèbre est un animal d'Afrique qui vit en troupeaux nombreux. Il ressemble à un petit cheval et son pelage est blanc rayé de noir : *les zèbres courent très vite.*

zéro

Zéro est un nombre qui sert à écrire d'autres nombres. Il s'écrit 0 : *on écrit 100 avec un 1 et deux zéros.*

un zigzag

Un zigzag, c'est une ligne qui a la forme d'un Z : *les skieurs ont fait des zigzags sur la piste.*

Faire des zigzags, c'est zigzaguer.

un zoo

Un zoo, c'est une sorte de grand jardin où sont gardés des animaux sauvages de tous les pays : *au zoo, les animaux adorent regarder les gens !*

A B C D E F G H I J K L M N O P Q R S T U V **W** X Y Z

Les dinosaures

l'allosaure

Véritable monstre, l'allosaure pouvait s'attaquer à d'autres énormes dinosaures, comme le stégosaure, qu'on voit sur la page de droite, et les dévorer.

l'ankylosaure

La tête et le corps de l'ankylosaure étaient recouverts de plaques en os qui le protégeaient. Il frappait ses ennemis avec sa queue terminée par une massue.

l'hadrosaure

Tous les dinosaures poussaient des cris. Mais les plus bruyants étaient les hadrosaures, appelés aussi « dinosaures à bec de canard ».

le diplodocus

Il était aussi grand que trois bus, l'un derrière l'autre. Il se nourrissait d'herbe. Sa queue lui servait de fouet pour faire fuir ceux qui l'attaquaient.

le **ptéranodon**

Il existait des reptiles proches des dinosaures qui pouvaient voler. C'était le cas du ptéranodon. Ses ailes déployées mesuraient plus de 7 mètres de long.

le **stégosaure**

Le stégosaure avait une tête minuscule et un bec d'oiseau. Il se nourrissait d'herbe. Son dos était recouvert d'énormes piquants en os qui le protégeaient.

le **tyrannosaure**

C'était le plus grand et le plus féroce des dinosaures carnivores. Il s'attaquait à d'autres dinosaures qu'il déchiquetait de ses énormes dents pointues et tranchantes.

le **tricératops**

Le tricératops ressemblait un peu au rhinocéros. Il portait trois cornes sur la tête, et une sorte de collerette en os protégeait son cou.

Les animaux de la mer

le **cachalot**

Le cachalot est un énorme
animal de la même famille
que la baleine. Il vit
dans les mers chaudes
et peut plonger à plus
de 1 000 mètres
pour attraper des calamars.

le **dauphin**

Comme le cachalot
et la baleine, le dauphin
n'est pas un poisson :
c'est un mammifère.
Il donne naissance
à des bébés qu'il nourrit
de son lait.

le **crabe**

Tous les crabes ont
quatre paires de pattes
et une paire de pinces.
Certains vivent
sur les plages, d'autres
restent au fond de la mer.

l'**espadon**

Ce poisson des mers
chaudes et tièdes se sert
de son « nez » en forme
d'épée pour assommer
les poissons dont
il se nourrit.

l'**étoile de mer**

L'étoile de mer se déplace
en bougeant ses cinq bras.
Elle peut s'accrocher
aux rochers grâce à
des petites ventouses
situées sous son ventre.

l'**hippocampe**

L'hippocampe est
un petit poisson
qui a une tête
de cheval. Il nage
debout et se sert
de la petite nageoire
qu'il a sur le dos pour
avancer.

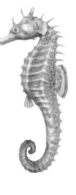

la **langouste**

La langouste est
un crustacé des mers
chaudes et tièdes.
Elle n'a pas de pinces
mais elle a des antennes
sur la tête. C'est ainsi
qu'on la distingue
du homard.

la **méduse**

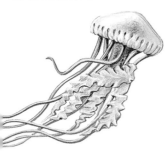

la **murène**

C'est un poisson féroce
des mers tièdes.
Elle a des mâchoires armées
de dents coupantes.

le **poisson-globe**

Ce poisson des mers
chaudes n'a pas d'écailles,
mais des piquants
sur le ventre. Il se gonfle
comme un ballon quand
il est attaqué.

La méduse a des filaments
souvent piquants
qui la protègent
et qui lui servent
à attraper sa nourriture.

la **rascasse**

la **raie**

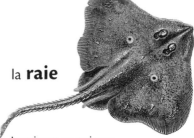

La rascasse, appelée
aussi « crapaud
de mer », a sur la tête
des épines remplies
de venin.

la **pieuvre**

Elle a huit tentacules
bordées de ventouses.
Quand elle est attaquée,
elle envoie un jet
d'encre noire pour
qu'on ne la voie plus.

La raie est un poisson
au corps aplati
et aux larges nageoires
triangulaires. Elle reste
le plus souvent au fond
de la mer, où elle peut
se cacher dans le sable.

le **requin blanc**

Le requin blanc est un grand
poisson de mer aux dents pointues.
Très agressif,
il s'attaque aux phoques,
aux dauphins, aux requins
plus petits et, parfois,
à l'homme.

la **sardine**

Les sardines nagent
tout près de la surface
de l'eau, en groupes
appelés « bancs ».
Cela leur permet
de mieux se protéger.

Les animaux des pays froids

l'hermine

La fourrure
de ce petit animal
est brun-roux en été ;
en hiver, elle devient
plus épaisse et blanche.
Seul le bout de la queue
reste noir.

le castor

Gros rongeur
des pays du Nord,
le castor construit
des barrages en bois
sur les rivières
pour s'abriter.

le loup

Le loup chasse
pour se nourrir mais
il n'est pas plus féroce
qu'un autre animal.
Il ne s'attaque que très
rarement à l'homme.

le manchot

Le manchot est
un gros oiseau
des mers du pôle Sud.
Il ne peut pas voler
mais il nage très bien
grâce à ses petites ailes
qui lui servent
de nageoires.

l'élan

L'élan est le plus grand
des animaux de la famille
du cerf. En hiver,
il gratte la neige
avec ses sabots
pour trouver
de quoi se nourrir.

le morse

Le morse nage bien
mais il a du mal
à se déplacer sur le sol.
Il utilise ses défenses
comme arme et s'appuie
dessus pour monter
sur la banquise.

l'ours brun

Malgré son poids
énorme, l'ours brun
est agile et puissant :
il peut faire des bonds
de plusieurs mètres
pour s'emparer
d'une proie.

l'ours polaire

L'ours polaire,
ou « ours blanc », vit
dans les régions arctiques.
Bon nageur, il chasse
et il mange des phoques
et des poissons.

le phoque

Le phoque peut
rester longtemps
dans l'eau glacée,
sous la banquise. Il fait
des trous dans la glace
pour venir respirer à la surface.

le renard polaire

Le renard polaire supporte
les températures les plus
froides. Il se nourrit
d'oiseaux et de rongeurs.

le renne

Cousin du cerf,
le renne est élevé
pour sa viande,
son lait et son cuir.
Les Lapons l'utilisent
pour tirer des traîneaux.

le yack

Ce gros animal de la famille
du bœuf vit en Asie centrale.
On l'utilise pour transporter
des choses lourdes
car il se déplace facilement dans
les montagnes.

293

Les animaux des pays chauds

l'antilope

L'antilope se rencontre surtout en Afrique, dans la savane. Ses pattes hautes et fines lui permettent de courir très vite.

le **boa**

Ce gros serpent sans venin vit en Amérique du Sud. Il tue ses victimes en s'enroulant autour d'elles pour les étouffer dans ses puissants anneaux.

le **dromadaire**

Cet animal du désert ressemble au chameau, mais il n'a qu'une seule bosse. Elle lui sert de réserve de nourriture.

le **crocodile**

Habitant des fleuves, il a d'épaisses écailles et des mâchoires puissantes. Il se nourrit d'animaux, qu'il noie avant de les dévorer.

le **chacal**

Le chacal est un animal qui ressemble au renard par sa taille et au loup par sa couleur. Il mange des cadavres d'animaux.

l'**éléphant**

Il existe deux espèces d'éléphants : ceux d'Asie et ceux d'Afrique. L'éléphant d'Asie, qu'on voit ici, est plus petit ; ses oreilles et ses défenses sont aussi plus petites.

le **caméléon**

Le caméléon vit dans les arbres, en Afrique et en Asie. Il est vert, mais il peut prendre la couleur de l'endroit où il se trouve pour qu'on ne le voie pas.

294

la **girafe**

Animal de la savane,
la girafe peut brouter
les bourgeons en haut
des arbres et repérer
les dangers au loin,
grâce à sa haute taille.

le **guépard**

Ce grand fauve vit en Afrique
et en Asie. C'est le plus rapide
des animaux, mais il ne peut pas
courir sur de grandes distances.

le **gorille**

C'est le plus grand
et le plus fort des singes.
Il vit en Afrique et mange
des fruits et des feuilles.
Il peut se tenir debout,
mais se déplace surtout
à quatre pattes.

l'**hippopotame**

L'énorme hippopotame
vit en Afrique, près des lacs
et des fleuves. Il passe
son temps dans l'eau
et n'en sort que pour aller
brouter de l'herbe.

le **lion**

Le lion vit en groupes
en Afrique ou en Asie.
C'est lui qui garde le territoire
pendant que la lionne
va chercher la nourriture
pour leurs petits.

le **zèbre**

Les zèbres vivent
en Afrique.
Leurs rayures
noires et blanches
se voient de très loin
et ils sont souvent
attaqués par les lions.

Les oiseaux

la **chouette**

La chouette vit dans les trous des arbres. Elle ne construit pas de nid. Elle mange des souris et des rats. C'est un rapace qui chasse la nuit.

le **flamant rose**

Les flamants roses vivent en groupes au bord de l'eau. Ils se tiennent souvent sur une patte. Ils font leurs nids avec de la boue.

l'**albatros**

L'albatros est le plus grand des oiseaux de mer. Il mange des poissons et vit dans les îles des pays chauds.

le **colibri**

On l'appelle aussi « oiseau-mouche ». C'est le plus petit oiseau du monde. Ses ailes battent si vite qu'on ne les voit presque plus. Il vit en Amérique.

le **rouge-gorge**

On rencontre le rouge-gorge dans les bois et les jardins. On le reconnaît à son plumage rouge sur la gorge et le haut du ventre.

le **quetzal**

Le quetzal est un oiseau magnifique qui vit au Mexique. Il mange des fruits et nourrit ses petits avec des insectes.

le **vautour**

Le vautour est un rapace au bec crochu. Il n'a pas de plumes sur la tête ni sur le cou. Il vit surtout dans les montagnes et se nourrit d'animaux morts.

le **toucan**

Le toucan a un bec long et fort. Il mange des fruits et vit dans les forêts d'Amérique du Sud.

Les insectes

le **bourdon**

Le bourdon est un gros
insecte noir et jaune
de la famille
de l'abeille.
Comme elle,
il butine
les fleurs
mais il ne pique pas.

la **cigale**

La cigale vit
sur les arbres, dans
les régions chaudes.
Le mâle fait un bruit
particulier :
c'est le « chant »
de la cigale.

la **coccinelle**

Rouge ou jaune
avec des points noirs,
c'est l'amie du jardinier
parce qu'elle dévore
les pucerons.

la **fourmi**

Les fourmis vivent
dans des nids appelés
des « fourmilières »
qui sont de véritables
villes souterraines.
Un seul nid peut abriter
jusqu'à
500 000 fourmis !

la **libellule**

La libellule vit
au bord de l'eau.
Elle vole très vite
et se nourrit de petits
insectes qu'elle attrape
en plein vol.

la **mouche**

Ses gros yeux lui
permettent de voir
de tous les côtés
et sa bouche
aspire la nourriture
comme une paille.

la **mante religieuse**

La mante religieuse est
très vorace. Avec ses grandes
et puissantes pattes avant,
elle capture les insectes
et les empêche de bouger
pendant qu'elle les mange.

le **papillon**

Partout où poussent
des plantes, on trouve
des papillons, qui vivent
soit le jour, soit la nuit.
Il en existe 150 000 espèces.

le **perce-oreille**

Le perce-oreille est
un insecte nuisible
car il mange les plantes
et les fleurs des jardins.
Il doit son nom aux deux
pinces qu'il porte
sur l'abdomen.

le **ver luisant**

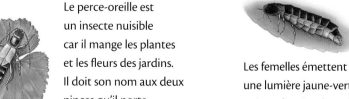

Les femelles émettent
une lumière jaune-vert
qui sert à attirer les mâles.
C'est cette petite lumière
qu'on voit parfois briller
la nuit.

Les arbres

le **baobab**

Gros arbre d'Afrique,
d'Asie et d'Australie,
le baobab a un tronc
énorme, dont le tour
peut atteindre
une vingtaine
de mètres.

le **bouleau**

On le reconnaît
à son tronc qui est
blanc argenté. Il pousse
dans les pays du Nord
car il supporte bien
le froid.

le **chêne**

Grand arbre des forêts,
le chêne vit très vieux.
Il porte des fruits
qu'on ne mange pas :
ce sont les glands.

le **cyprès**

Il a une jolie forme
de cône et reste
vert toute l'année.
Dans le Midi,
on plante
des rangées
de cyprès pour
arrêter le vent.

l'**eucalyptus**

C'est un grand arbre
qui pousse dans les pays
chauds. Le parfum
de ses feuilles rappelle
celui de la menthe.

l'**érable**

Il existe de nombreuses
variétés d'érables :
le grand érable
qu'on voit en France
ou l'érable à sucre
qui pousse au Canada.

le **palétuvier**

C'est un arbre des marais,
qu'on trouve dans
les régions tropicales.
Ses longues racines
entremêlées sortent
au-dessus de l'eau.

le **marronnier**

Son feuillage forme une
énorme boule. Ses fleurs
fleurissent en grappes.
Ses fruits, les marrons,
ne se mangent pas.

le **peuplier**

C'est un arbre
haut et mince
qui pousse dans
les endroits frais
et humides. Il a
de petites feuilles
et ses fleurs sont
groupées en
chatons.

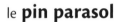

le **pin parasol**

le **palmier**

Il pousse surtout dans
les pays chauds. Il n'a
pas de branches mais
ses feuilles, les palmes,
sont réunies en bouquet
au sommet du tronc.

le **saule pleureur**

Il pousse près des rivières et des
étangs. Ses branches retombent
tristement vers le sol.

Ce pin doit son nom
à la forme de ses
branches qui s'étalent
comme un parasol.
Ses feuilles en
aiguilles restent
toujours vertes.

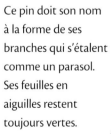

le **ravenala**

On l'appelle aussi « l'arbre
du voyageur », car l'eau
de pluie qui s'accumule
à la base de ses longues
feuilles disposées en
éventail peut être
recueillie par
un voyageur assoiffé.

Les fleurs

le **bleuet**

Cette petite fleur bleue doit son nom à sa couleur. Elle pousse surtout dans les champs de blé et produit un miel au parfum délicat.

le **bouton-d'or**

Cette fleur des champs s'appelle aussi « renoncule des prés ». Ses pétales jaunes brillent comme de l'or.

le **coquelicot**

Il pousse en été dans les champs. Ses jolis pétales rouge vif sont très fins et fragiles.

la **glycine**

La glycine est une plante grimpante. Ses grappes de fleurs blanches, roses ou mauves sont très parfumées.

l'**iris**

L'iris est une grande fleur bleue, violette, jaune ou blanche. Ses feuilles ont la forme allongée d'un ruban.

la **jonquille**

Elle pousse au printemps dans les bois, les prés et les jardins. Ses pétales blancs forment une collerette autour d'un petit cornet jaune.

le **nénuphar**

Il pousse dans l'eau douce. Ses grosses fleurs entourées de larges feuilles flottent à la surface.

le **muguet**

On le cueille au printemps dans les bois. Ses petites clochettes blanches sentent très bon. On dit qu'il porte bonheur.

le **pétunia**

l'**oiseau de paradis**

L'oiseau de paradis est une belle fleur qui provient du sud de l'Afrique. Sa forme et ses couleurs font penser à un oiseau.

la **pâquerette**

Elle a un cœur jaune et de fins pétales blancs. Elle fleurit dans les champs au printemps et en été.

Cette fleur rose, blanche ou violette décore souvent les balcons. Ses pétales ont la forme d'un entonnoir.

la **pivoine**

Ses boutons très serrés deviennent en s'ouvrant de grosses fleurs épanouies au parfum délicat.

la **rose**

Ses fleurs ont de très jolies couleurs et sentent souvent très bon, mais sa tige est garnie d'épines.

la **violette**

La violette est une petite fleur de couleur violette qui pousse au printemps dans les bois. Elle est très parfumée.

la **tulipe**

C'est une fleur qui a de longues tiges raides et dont les pétales ont la forme d'un petit gobelet. Elle pousse au printemps.

le **tournesol**

C'est une grande fleur jaune qui se tourne vers le soleil. C'est pourquoi on lui donne souvent le nom de « soleil ».

Les fruits

la **banane**

Les bananes poussent, attachées les unes aux autres, sur un bananier.

la **cerise**

Elle est rouge et ronde. Elle a un noyau et une longue queue. C'est le fruit du cerisier.

la **figue**

Sa chair très tendre est remplie de petits grains. C'est le fruit du figuier.

l'**ananas**

Il pousse dans les pays chauds. Sa chair jaune est juteuse et couverte d'une peau épaisse.

les **myrtilles**

Ce sont des petits fruits bleu-noir qui poussent dans les montagnes sur de petits buissons.

le **pamplemousse**

Il ressemble à une grosse orange mais il est jaune ou rosé. C'est le fruit du pamplemoussier.

la **poire**

Elle est jaune ou verte et a une forme allongée. Sa chair est juteuse. C'est le fruit du poirier.

les **fraises des bois**

Ce sont de délicieuses petites fraises parfumées qui poussent dans les bois.

la **pêche**

Elle a un gros noyau et une peau très douce. Son goût est très parfumé. C'est le fruit du pêcher.

la **pomme**

Elle est jaune, verte ou rouge. Sa chair est croquante. C'est le fruit du pommier.

la **pastèque**

Ce gros fruit à pépins noirs, appelé aussi « melon d'eau », peut peser plusieurs kilos. Sa chair rouge est très rafraîchissante.

le **raisin**

Ses grappes sont vertes ou violettes. Il pousse sur un arbuste grimpant qui s'appelle une « vigne ».

Les légumes

l'artichaut

C'est un légume vert et rond, dont on mange le bout des feuilles et le fond. On le cultive en Bretagne.

l'aubergine

Elle a une forme allongée et une peau lisse et violette. Elle pousse dans les régions chaudes.

la carotte

Ce légume long et orange est une racine. On le mange cru ou cuit.

le chou-fleur

les haricots verts

Ils ont la forme d'une petite tige pendante appelée « gousse ». C'est elle que l'on mange.

Ses fleurs blanches forment une grosse boule ronde au milieu des feuilles. Ce sont les fleurs que l'on mange.

les petits pois

Les petits pois sont des légumes à grains ronds et verts enfermés dans une gousse.

le poireau

Ses longues feuilles vertes sortent de la terre quand il pousse. Sa base, blanche, reste sous la terre.

le potiron

C'est un énorme légume qui peut peser jusqu'à 100 kilos. Sa peau orange est très épaisse.

la pomme de terre

Elle pousse complètement enfouie dans la terre. C'est un légume très nourrissant.

le radis

Le radis est rond ou de forme allongée. Sa chair blanche est entourée d'une peau rose et blanche. On le mange cru.

Le corps

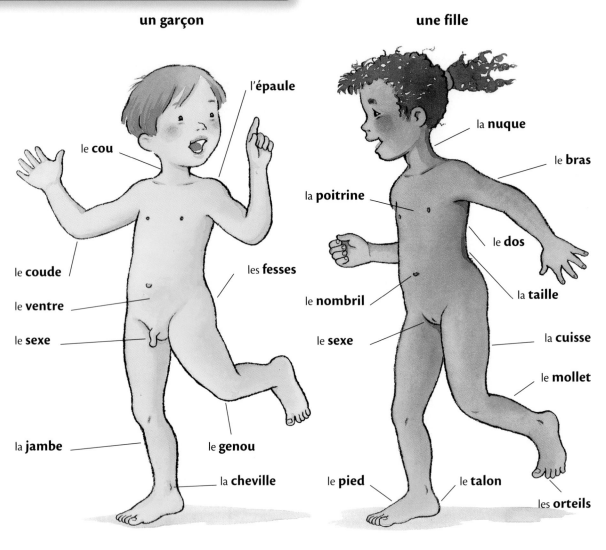

un garçon

le **cou**

l'**épaule**

le **coude**

le **ventre**

le **sexe**

la **jambe**

le **genou**

la **cheville**

les **fesses**

une fille

la **nuque**

le **bras**

la **poitrine**

le **dos**

le **nombril**

la **taille**

le **sexe**

la **cuisse**

le **mollet**

le **pied**

le **talon**

les **orteils**

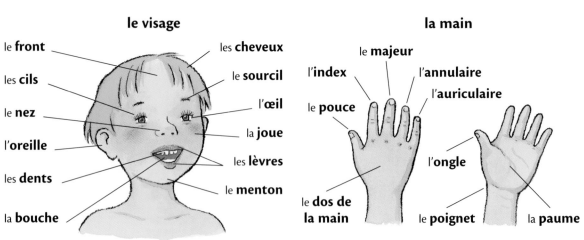

le visage

le **front**

les **cils**

le **nez**

l'**oreille**

les **dents**

la **bouche**

les **cheveux**

le **sourcil**

l'**œil**

la **joue**

les **lèvres**

le **menton**

la main

le **majeur**

l'**index**

l'**annulaire**

l'**auriculaire**

le **pouce**

l'**ongle**

le **dos de la main**

le **poignet**

la **paume**

Les vêtements

un **bonnet**

une **écharpe**

un **maillot de bain**

un **chemisier**

une **culotte**

un **collant**

une **robe**

une **salopette**

des **gants**

manteau

pull

une **jupe**

des **bottes**

des **sandales**

des **chaussures**

s **moufles**

une **chemise de nuit**

une **parka**

e **cagoule**

des **chaussons**

une **casquette**

un **pyjama**

une **socquette**

un **tee-shirt**

blouson

un **slip**

un **jogging**

un **short**

sweat-shirt

un **pantalon**

des **baskets**

des **chaussettes**

une **ceinture**

un **caleçon**

Le calendrier

les mois et les saisons

janvier · février · mars · avril · mai · juin

l'**hiver** · le **printemps**

juillet · août · septembre · octobre · novembre · décembre

l'**été** · l'**automne**

les jours de la semaine

lundi · mardi · mercredi · jeudi · vendredi · samedi · dimanche

La journée

le matin

le **réveil**

le **petit déjeuner**

l'**arrivée à l'école**

en **classe**

le midi

le **déjeuner**

l'après-midi

la **récréation**

le **goûter**

le soir

le **bain**

le **dîner**

le **coucher**

La maison et le jardin

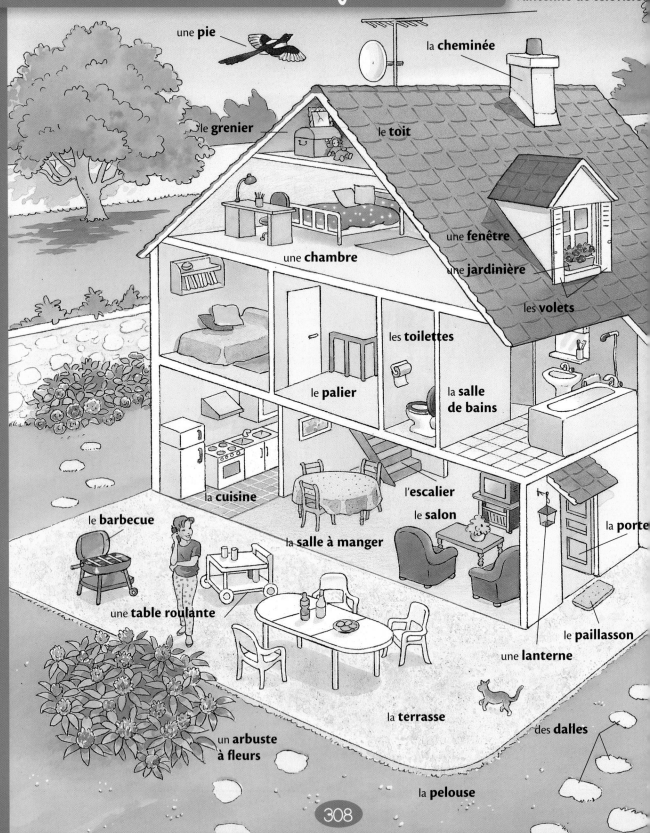

l'antenne de télévision

une **pie**

la **cheminée**

le **grenier**

le **toit**

une **fenêtre**

une **chambre**

une **jardinière**

les **volets**

les **toilettes**

le **palier**

la **salle de bains**

le **barbecue**

la **cuisine**

l'**escalier**

le **salon**

la **salle à manger**

la **porte**

une **table roulante**

le **paillasson**

une **lanterne**

la **terrasse**

des **dalles**

un **arbuste à fleurs**

la **pelouse**

une **haie**

le **portique**

une **pelle**

le **potager**

une **serre**

la **balançoire**

un **tuyau d'arrosage**

une **brouette**

un **massif de fleurs**

le **garage**

une **balancelle**

une **chaise longue**

une **statue**

une **allée**

la **sonnette**

le **portail**

un **bassin**

la **barrière**

la **boîte aux lettres**

L'école

l'atelier de peinture

l'alphabet

la bibliothèque

l'horloge

une maîtresse

le tableau

Lundi 10 mars

une classe

le bureau

un cheval à ressort

la cour de récréation

une marelle

un sac à dos

un **marronnier**

un **maître**

des **élèves**

le **préau**

un **ordinateur**

une **poubelle**

un **banc**

la **cantine**

un **chariot**

une **ronde**

un **toboggan**

un **tricycle**

La ville

des **immeubles**

une **cabine téléphonique**

un **arrêt d'autob**

un **bus**

une **enseigne**

un **feu rouge**

PHARMAC

une **vitrine**

des **magasins**

une **ambulance**

un **taxi**

un **passage pour piétons**

un **carrefour**

un **feu vert**

un **vélo**

le **marché**

une **voiture**

des **passants**

LIBRAIRIE PAPETERIE

BOULANGERIE

fleurs

fleurs

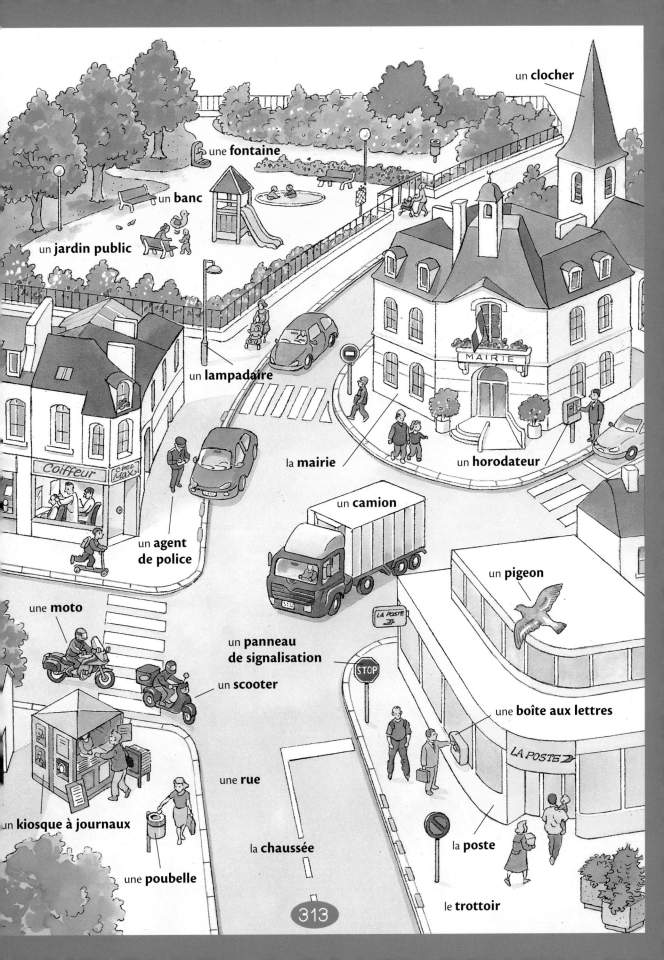

un **clocher**

une **fontaine**

un **banc**

un **jardin public**

un **lampadaire**

la **mairie**

un **horodateur**

Coiffeur

Chez Max

un **agent de police**

un **camion**

un **pigeon**

MAIRIE

une **moto**

un **panneau de signalisation**

un **scooter**

STOP

une **boîte aux lettres**

LA POSTE

une **rue**

un **kiosque à journaux**

la **chaussée**

la **poste**

une **poubelle**

le **trottoir**

313

La campagne et la ferme

un **champ de blé**

une **moissonneuse-batteuse**

un **pré**

des **moutons**

un **abreuvoir**

la **maison**

la **porcherie**

le **poulailler**

un **dindon**

la **grange**

la **fermière**

une **poule**

des **cochons**

un **clapier**

des **canards**

des **lapins**

un **coq**

des **oies**

des **poussins**

des **tournesols**

un **tracteur**

une **hirondelle**

des **silos à grains**

un **cheval**

des **vaches**

un **car**

l'**étable**

des **balles de paille**

des **bottes de foin**

le **fermier**

un **tas de fumier**

une **camionnette**

un **rouge-gorge**

un **papillon**

une **clôture**

des **coquelicots**

une **taupe**

315

La forêt

un **châtaignier**

une **bécasse**

un **pivert**

un **randonneur**

le **chemin**

un **écureuil**

des **bûches**

un **pin**

des **rochers**

une **pomme de pin**

un **renard**

la **bruyère**

un **bouleau**

un **chêne**

un **hibou**

un **cerf**

une **biche**

un **faon**

un **noisetier**

des **marcassins**

un **sanglier**

la **mousse**

un **lièvre**

des **fougères**

un **hérisson**

des **champignons**

une **musaraigne**

La montagne

un **alpiniste**

un **aigle**

un **glacier**

une **cabine de téléphérique**

un **refuge**

des **mélèzes**

une **piste**

un **remonte-pente**

un **chalet**

des **sapins**

un **télésiège**

un **bouquetin**

des **skieurs**

un **chamois**

une **patinoire**

un **canon à neige**

une **marmotte**

des **edelweiss**

un **surfeur**

La mer

une **mouette**

un **goéland**

une **falaise**

un **phare**

un **voilier**

un **bateau**

des **cabines**

une **planche à voile**

le **port**

des **baigneurs**

un **parasol**

un **surf**

un **maître nageur**

un **château de sable**

la **plage**

la **crème solaire**

des **rochers**

des **algues**

une **serviette de bain**

une **bouée**

une **étoile de mer**

une **épuisette**

un **crabe**

des **moules**

des **bigorneaux**

des **patelles**

un **bernard-l'ermite**

des **palourdes**

Imprimé en Espagne chez Graficas Estella
Dépôt légal : mai 2012- 308675/01
N° de projet : 11017629 – juin 2012

A	B	C	D
E	F	G	H
I	J	K	L
M	N	O	P
Q	R	S	T

d	c	b	a
h	g	f	e
l	k	j	i
p	o	n	m
t	s	r	q

U	V	W	X
Y	Z	À	Â
È	É	Ê	Î
Ô	Û	Ç	A
E	I	O	U

x	w	v	u
â	à	z	y
î	ê	é	è
a	ç	û	ô
u	o	i	e

pour **Chloé**

pour **Gabrielle et Julia**

pour **Tom**

pour **Amélie**

pour **Aline**

pour **Aurèle**

pour **Mathilde et Gauthier**

pour **Jean et Camille**

pour **Loan et Romain**

pour **Louis**

pour **Marion**

pour **Zoé**

pour **Annaelle**

pour **Guillaume et Éloïse**

pour **Nadia et Ulysse**

pour **Mathias**

pour **Basile et Paul**

pour **Thomas et Mathis**

pour **Alexis**

pour **Laura**

pour **Vincent**

pour **Théa et Henry**

pour **Aziz et Mélia**

pour **Margaux et Arthur**

pour **Victoire**

pour **Lola**

pour **Jeanne**

pour **Gaëlle**